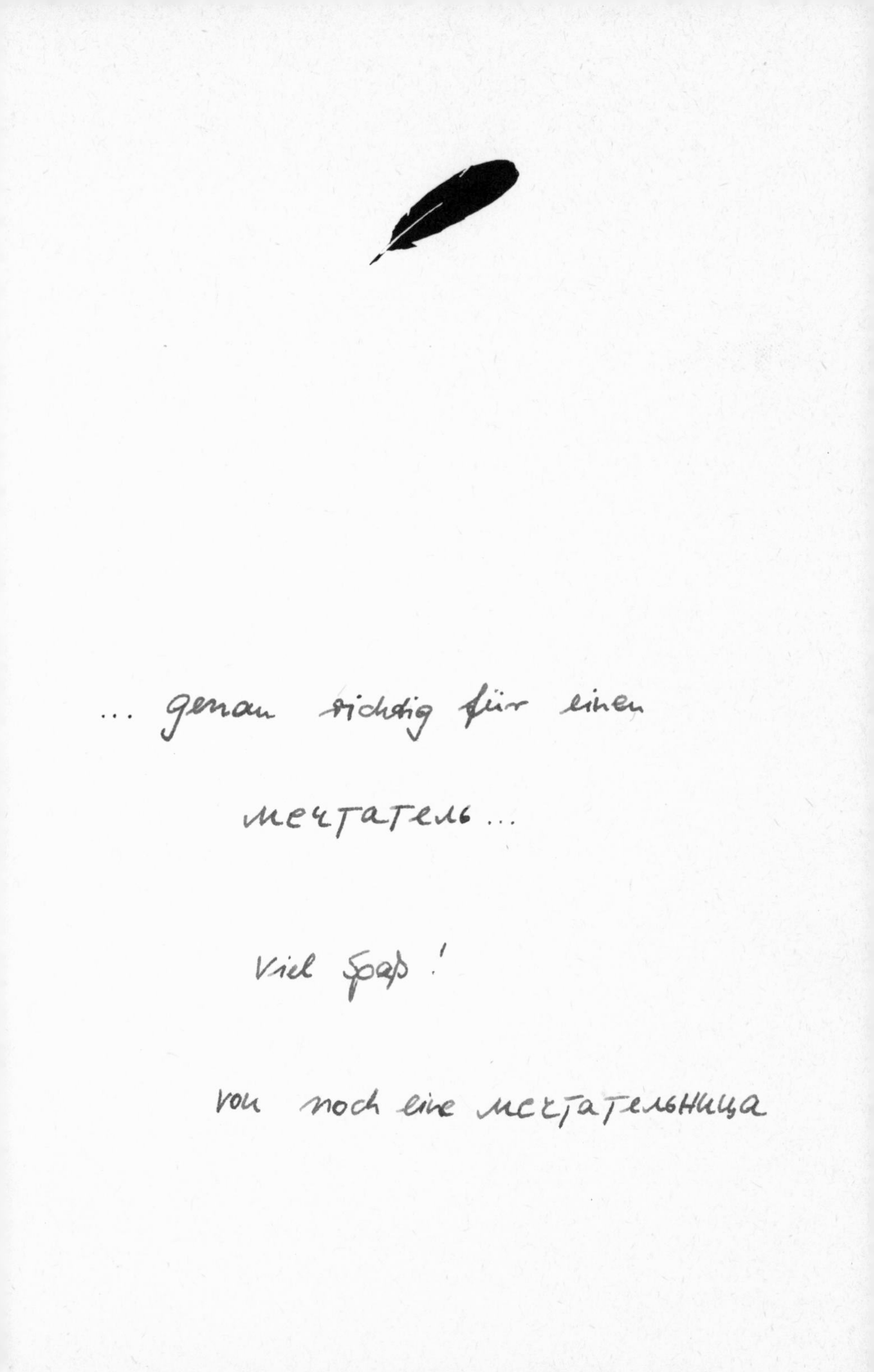
... genau richtig für einen
мечтатель ...
Viel Spaß!
von noch eine мечтательница
12. 7. 1984

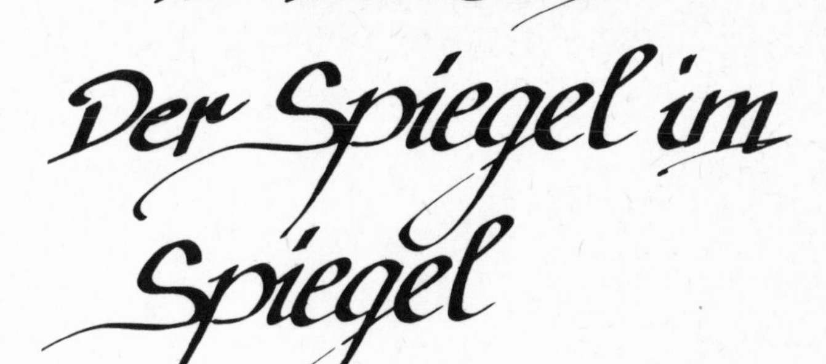

Ein Labyrinth

CIP-Kurztitelaufnahme der Deutschen Bibliothek

Ende, Michael:
Der Spiegel im Spiegel: ein Labyrinth / Michael Ende
Stuttgart: Edition Weitbrecht, 1984
ISBN 3 522 70100 3

Die Gesamtgestaltung besorgte Zembsch' Werkstatt, München.
Umschlagabbildung: *Das Fensterkreuz* von Edgar Ende.
Ölbild, 1953.
Reproduktionen von Reisacher Repro, Stuttgart.
Gesetzt von der Utesch Satztechnik GmbH, Hamburg,
in der Times 12 Punkt.
Gedruckt auf Werkdruckpapier 100 g/qm von Salzer, Stattersdorf,
und gebunden in Karat-Feinleinen von Herzog, Dornstadt bei Ulm
von Welsermühl, Wels.
3 4 5

Meinem Vater
Edgar Ende gewidmet

VERZEIH MIR, ICH KANN NICHT LAUTER sprechen.

Ich weiß nicht, wann du mich hören wirst, du, zu dem ich rede.

Und wirst du mich überhaupt hören?

Mein Name ist Hor.

Ich bitte dich, lege dein Ohr dicht an meinen Mund, wie fern du mir auch sein magst, jetzt noch oder immer. Anders kann ich mich dir nicht verständlich machen. Und selbst wenn du dich herbeilassen wirst, meine Bitte zu erfüllen, es wird genügend Verschwiegenes bleiben, was du aus dir ergänzen mußt. Ich brauche deine Stimme, wo meine versagt.

Diese Schwäche erklärt sich vielleicht aus der Art, wie Hor haust. Er bewohnt nämlich, soweit er sich zurückbesinnen kann, ein riesenhaftes, vollkommen leeres Gebäude, in welchem jedes laut gesprochene Wort ein schier nicht mehr endendes Echo auslöst.

Soweit ich mich zurückbesinnen kann. Was will das besagen?

Auf seinen täglichen Wanderungen durch die Säle und Korridore begegnet Hor mitunter noch immer einem umherirrenden Nachhall irgendeines Rufes, den er vor Zeiten unbedacht ausgestoßen hat. Es bereitet ihm große Pein, auf diese Weise mit seiner Vergangenheit zusammenzutreffen, zumal das damals entflohene Wort inzwischen Form und Gehalt bis zur Unkenntlichkeit eingebüßt hat. Diesem idiotischen Gelall setzt Hor sich nun nicht mehr aus.

Er hat sich daran gewöhnt, seine Stimme – wenn überhaupt – nur unterhalb jener schwankenden Grenze zu gebrauchen, von der an sie ein Echo erzeugen könnte. Diese Grenze liegt nur wenig über der völligen Stille, denn dieses Haus ist auf grausame Art hellhörig.

Ich weiß, daß ich viel verlange, aber du wirst sogar den Atem anhalten müssen, falls dir daran liegt, Hors Worte zu vernehmen. Seine Sprachorgane sind durch das viele Verschweigen geschwunden – sie haben sich umgebildet.

Hor wird nicht mit größerer Deutlichkeit zu dir reden können, als sie jenen Stimmen eigen ist, die du kurz vor dem Einschlafen hörst. Und du wirst auf dem schmalen Grad zwischen Schlafen und Wachen das Gleichgewicht halten müssen – oder schweben wie die, denen oben und unten das gleiche bedeutet.

Meine Name ist Hor.

Besser wäre es zu sagen: Ich nenne mich Hor. Denn wer außer mir selbst ruft mich bei meinem Namen?

Habe ich schon erwähnt, daß das Haus leer ist? Ich meine vollkommen leer. Zum Schlafen rollt Hor sich in einer Ecke zusammen, oder er legt sich nieder, wo er eben ist, auch mitten in einem Saal, wenn dessen Wände zu fern sind.

Nahrungssorgen hat Hor nicht. Die Substanz, aus der Wände und Säulen bestehen, ist eßbar – für ihn jedenfalls. Sie besteht aus einer gelblichen, ein wenig transparenten Masse, deren Genuß Hunger und Durst sehr schnell stillt. Außerdem sind Hors Bedürfnisse in dieser Hinsicht gering.

Das Verrinnen der Zeit bedeutet ihm nichts. Er hat keine Möglichkeit, sie zu messen, außer am Schlag seines Herzens. Aber der ist sehr unterschiedlich. Tage und Nächte kennt Hor nicht, ein immer gleiches Dämmerlicht umgibt ihn.

Wenn er nicht schläft, so zieht er umher, doch verfolgt er kein Ziel. Es ist einfach ein Drang, ein Bedürfnis, dessen Befriedigung ihm Vergnügen bereitet. Dabei widerfährt es ihm nur selten, daß er in einen Raum gelangt, den er wiederzuerkennen vermeint, der ihm bekannt scheint, als sei er vor undenklichen Zeiten schon einmal in ihm gewesen. Andererseits lassen ihn oft untrügliche Zeichen darauf schließen, daß er an einer Stelle vorüberkommt, an der er schon einmal war – eine angebissene Mauerecke zum Beispiel oder ein Haufen eingetrockneter Exkremente. Der Raum selbst ist Hor allerdings so fremd wie jeder andere. Vielleicht verändern sich die Räume in

Hors Abwesenheit, wachsen, dehnen sich oder schrumpfen. Vielleicht ist es sogar Hors Durchgang, der solche Veränderungen hervorruft, doch liebt er diesen Gedanken nicht.

Daß außer Hor noch jemand das Haus bewohnt, halte ich für ausgeschlossen. Freilich, bei der unvorstellbaren Weitläufigkeit des Baues gibt es dafür keine Beweise. Es ist ebenso wenig unmöglich wie wahrscheinlich.

Viele Zimmer haben Fenster, doch öffnen sich diese nur jeweils wiederum auf andere, meist größere Räumlichkeiten. Obwohl die Erfahrung ihn bisher niemals anderes gelehrt hat, bewegt Hor bisweilen die Vorstellung, einmal an eine letzte, äußerste Wand zu gelangen, deren Fenster den Ausblick auf etwas gänzlich anderes gewähren. Hor kann nicht sagen, was das sein sollte, aber er gibt sich manchmal langen Erwägungen darüber hin. Es wäre falsch zu behaupten, daß er sich nach einem solchen Ausblick geradezu sehnt – es ist nur eine Art von Spiel, ein absichtsloses Erfinden von allerlei Möglichkeiten. In seinen Träumen indessen hat Hor mitunter solche Ausblicke genossen, ohne jedoch nach dem Erwachen irgend etwas Sagbares davon behalten zu haben. Er weiß nur, daß es so war und daß er meist tränenüberströmt aufwachte. Doch Hor mißt dem wenig Bedeutung bei, er erwähnt es nur der Merkwürdigkeit halber . . .

Ich habe mich falsch ausgedrückt. Hor träumt

niemals, und eigene Erinnerungen besitzt er nicht. Und doch ist sein ganzes Dasein angefüllt mit den Schrecken und Wonnen von Erlebnissen, die nach der Weise plötzlichen Erinnerns seine Seele überfallen.

Freilich nicht immer. Zuzeiten bleibt seine Seele lange still wie ein regloser Wasserspiegel, doch zu anderen Zeiten stürmen diese Erlebnisse von allen Seiten auf ihn ein, sie bedrängen ihn, sie schlagen ihn wie Blitze, daß er durch die leeren Gänge jagt, taumelt, bis er erschöpft hinstürzt und liegenbleibt und sich ergibt. Denn dagegen ist Hor wehrlos.

Nach der Weise plötzlichen Erinnerns. Sagte ich so?

Ich heiße Hor.

Aber wer ist das: Ich – Hor? Bin ich denn nur einer? Oder bin ich zwei und habe die Erlebnisse jenes zweiten? Bin ich viele? Und all die anderen, die ich sind, leben dort draußen, außerhalb jener äußersten, letzten Mauer? Und sie alle wissen nichts von ihren Erlebnissen, nichts von ihren Erinnerungen, denn bei ihnen im Außerhalb haben sie keine Bleibe? Ach, aber bei Hor bleiben sie, mit seinem Leben leben sie, ihn fallen sie an ohne Erbarmen. Sie verwachsen mit ihm, er zieht sie hinter sich her wie eine Schleppe, die schon endlos durch die Säle und Zimmer schleift und immer noch wächst und wächst.

Oder geht auch etwas von mir zu euch dort

draußen, dem einen oder den vielen, die ihr eins mit mir seid wie die Bienen mit der Königin? Fühlt ihr mich, Glieder meines verstreuten Leibes? Hört ihr meine unhörbaren Worte, jetzt oder ohne Zeit? Suchst du am Ende nach mir, mein anderer? Nach Hor, der du selber bist? Nach deinem Erinnern, das bei mir ist? Nähern wir uns einander durch unendliche Räume wie Sterne, Schritt für Schritt und Bild für Bild?

Und werden wir einmal einander begegnen, einst oder ohne Zeit?

Und was werden wir dann sein? Oder werden wir nicht mehr sein? Werden wir einander aufheben wie Ja und Nein?

Aber eines wirst du dann sehen: Ich habe alles getreulich bewahrt.

Mein Name ist Hor.

Der Sohn hatte sich unter der kundigen Anleitung seines Vaters und Meisters Schwingen erträumt. Viele Jahre hindurch hatte er sie Feder um Feder, Muskel um Muskel und Knöchelchen um Knöchelchen in langen Stunden der Traumarbeit gebildet, bis sie mehr und mehr Gestalt annahmen. Er hatte sie in der richtigen Stellung aus seinen Schulterblättern hervorwachsen lassen (es war ganz besonders schwierig, den eigenen Rücken tatsächlich genau im Traum wahrzunehmen), und er hatte nach und nach gelernt, sie sinnvoll zu bewegen. Es hatte seine Geduld auf eine harte Probe gestellt weiter zu üben, bis er nach endlosen mißlungenen Versuchen das erste Mal in der Lage war, sich für einen kurzen Augenblick in die Luft zu erheben. Aber dann gewann er Zutrauen zu seinem Werk, dank der unverbrüchlichen Freundlichkeit und Strenge, mit der sein Vater ihn führte. Im Laufe der Zeit hatte er sich an seine Flügel so völlig gewöhnt, daß er sie ganz und gar als Teil seines Körpers empfand, so sehr, daß er sogar Schmerz oder Wohlgefühl in ihnen spürte. Zuletzt hatte er die Jahre, da er noch ohne sie gewesen war, aus seinem Gedächtnis löschen müssen. Er war nun mit ihnen geboren wie mit seinen Augen oder Händen. Er war bereit.

Es war keineswegs verboten, die Labyrinthstadt zu verlassen. Im Gegenteil, wem es gelang, der wurde als ein Heros, als ein Begnadeter betrachtet, und man erzählte seine Sage noch lang. Doch war es nur den Glücklichen vergönnt. Die Gesetze, unter denen jeder Labyrinthbewohner stand, waren paradox, aber unabänderlich. Eines der wichtigsten lautete: Nur wer das Labyrinth verläßt, kann glücklich sein, doch nur der Glückliche vermag ihm zu entrinnen.

Aber die Glücklichen waren selten in den Jahrtausenden.

Wer den Versuch zu wagen bereit war, der mußte sich zuvor einer Prüfung unterziehen. Wenn er sie nicht bestand, so wurde nicht er bestraft, sondern sein Meister, und die Strafe war hart und grausam.

Das Gesicht seines Vaters war sehr ernst gewesen, als er zu ihm gesagt hatte: «Solche Art Flügel tragen nur den, der leicht ist. Aber leicht macht nur das Glück.» Danach hatte er den Sohn lange prüfend angesehen und schließlich gefragt: «Bist du glücklich?»

«Ja, Vater, ich bin glücklich», war seine Antwort gewesen.

Oh, wenn es darum ging, dann gab es keine Gefahr! Er war so glücklich, daß er meinte, auch ohne Flügel schweben zu können, denn er liebte. Er liebte mit der ganzen Inbrunst seines jungen Herzens, er liebte rückhaltlos und ohne den Schatten eines Zweifels. Und er wußte, daß seine Liebe ebenso bedingungslos erwidert wurde. Er wußte, daß die Geliebte auf ihn wartete, daß er am Ende des Tages nach bestandener Prüfung zu ihr kommen würde in ihr himmelblaues Zimmer. Dann würde sie sich leicht wie ein Mondenstrahl in seine Arme schmiegen, und in dieser unendlichen Umarmung würden sie sich über die Stadt erheben und ihre Mauern hinter sich lassen wie ein Spielzeug, dem sie entwachsen waren, sie würden über andere Städte hinfliegen, über Wälder und Wüsten, Berge und Meere, weiter und weiter bis an die Grenzen der Welt.

Er trug nichts auf dem nackten Körper als ein Fischernetz, das wie eine lange Schleppe hinter ihm durch die Straßen und Gassen, die Korridore und Zimmer schleifte. So wollte es das Zeremoniell bei dieser letzten, entscheidenden Prüfung. Er war sicher, daß er die Aufgabe lösen würde, die ihm gestellt war, obgleich er sie nicht kannte. Er wußte nur, daß sie immer ganz der Eigenart des Prüflings entsprach. So glich keine je der eines anderen. Man konnte sagen, daß die Aufgabe gerade darin bestand, aus wahrer Selbsterkenntnis heraus zu erraten, worin eigentlich die Aufgabe bestand. Das einzige strenge Gebot, an das er sich halten konnte, lautete, daß er unter gar keinen Umständen während der Dauer der Prüfung, also vor Sonnenuntergang, das himmelblaue Zimmer der Geliebten betreten durfte. Andernfalls würde er sofort von allem weiteren ausgeschlossen werden.

Er lächelte im Gedanken an die beinahe zornige Strenge, mit der sein verehrter und gütiger Vater ihm dies Gebot mitgeteilt hatte. Er fühlte in sich nicht die geringste Versuchung, es zu übertreten. Hier lag keine Gefahr für ihn, in diesem Punkt war er sorglos. Im Grunde hatte er niemals so recht all diese Geschichten verstehen können, in denen jemand gerade durch ein derartiges Gebot sich unwiderstehlich dazu getrieben fühlte, es zu verletzen. Auf seinem Zug durch die verwirrenden Straßen und Gebäude der Labyrinthstadt war er schon mehrmals an jenem turmartigen Bauwerk vorübergekommen, in dessen oberstem Stockwerk, nahe unter dem Dach, die Geliebte wohnte und zweimal sogar an ihrer Tür, auf der die Nummer 401 stand. Und er war daran vorbeigegangen, ohne stehenzubleiben. Aber dies konnte nicht die eigentliche Prüfung sein. Sie wäre zu einfach, viel zu einfach gewesen.

Überall, wo er hinkam, traf er auf Unglückliche, die ihm mit bewundernden, sehnsüchtigen oder auch neiderfüllten Augen entgegen- und nachblickten. Viele von ihnen kannte er von früher her, obgleich solche Begegnungen niemals absichtlich herbeigeführt werden konnten. In der

Labyrinthstadt änderte sich die Lage und Anordnung der Häuser und Straßen ununterbrochen, darum war es unmöglich Verabredungen zu treffen. Jede Zusammenkunft geschah zufällig oder schicksalhaft, je nachdem wie man es verstehen wollte.

Einmal merkte der Sohn, daß das nachschleifende Netz festgehalten wurde und wandte sich zurück. Er sah unter einem Torbogen einen einbeinigen Bettler sitzen, der eine seiner Krücken in die Maschen des Netzes flocht.

«Was tust du?» fragte er ihn.

«Hab Mitleid!» antwortete der Bettler mit heiserer Stimme. «Dich wird es kaum beschweren, aber mich wird es um vieles erleichtern. Du bist ein Glücklicher und wirst dem Labyrinth entrinnen. Aber ich werde für immer hierbleiben, denn ich werde niemals glücklich sein. Darum bitte ich dich, nimm wenigstens ein klein wenig von meinem Unglück mit hinaus. So werde auch ich ein winziges Quentchen Anteil an deinem Entrinnen haben. Das würde mir Trost geben.»

Glückliche sind selten hartherzig, sie neigen zum Mitleid und wollen auch andere an ihrem Überfluß teilhaben lassen.

«Gut», sagte der Sohn, «es freut mich, wenn ich dir einen Gefallen tun kann mit so wenigem.»

Schon an der nächsten Straßenecke begegnete er einer abgehärmten, in Lumpen gekleideten Mutter mit drei halb verhungerten Kindern.

«Was du dem dort zugestanden hast», sagte sie haßerfüllt, «wirst du uns wohl nicht abschlagen.»

Und sie flocht ein kleines, eisernes Grabkreuz in das Netz.

Von diesem Augenblick an wurde das Netz schwerer und schwerer. Unglückliche gab es ohne Zahl in der Labyrinthstadt, und jeder, der dem Sohn begegnete, flocht irgend etwas von sich in das Netz, einen Schuh oder einen kostbaren Schmuck, einen Blecheimer oder einen Sack voll Geld, ein Kleidungsstück oder einen eisernen Ofen, einen Rosenkranz oder ein totes Tier, ein Werkzeug oder schließlich sogar einen Torflügel.

Es ging schon auf den Abend zu und damit auf das Ende der Prüfung. Der Sohn kämpfte sich weit vornübergebeugt Schritt für Schritt vorwärts, als ginge er gegen einen gewaltigen, unhörbaren Sturm an. Sein Gesicht war schweißüberströmt, aber noch immer voller Hoffnung, denn nun glaubte er verstanden zu haben, worin seine Aufgabe bestand, und er fühlte sich trotz allem stark genug, sie zu Ende zu bringen.

Dann brach die Dämmerung herein, und noch immer war niemand gekommen, um ihm zu sagen, daß es nun genug sei. Ohne zu wissen wie, war er mit der endlosen Last, die er hinter sich herschleppte, auf die Dachterrasse jenes turmartigen Hauses geraten, in dem das himmelblaue Zimmer seiner Geliebten war. Er hatte noch nie bemerkt, daß man von hier aus auf einen Meeresstrand hinunterblickte, vielleicht war dieser auch bisher noch nie an der jetzigen Stelle gewesen. Aufs Tiefste beunruhigt wurde der Sohn inne, daß die Sonne hinter den dunstigen Horizont hinabtauchte.

Am Strand standen vier Geflügelte gleich ihm, und er hörte, obwohl er den Redenden nicht sehen konnte, deutlich, wie sie freigesprochen wurden. Er schrie hinunter, ob man ihn vergessen habe, aber niemand achtete darauf. Er nestelte mit bebenden Händen an dem Netz, doch gelang es ihm nicht, es abzustreifen. Wieder und wieder schrie er, jetzt nach seinem Vater, daß der käme, um ihm zu helfen, dabei beugte er sich, so weit er konnte, über die Brüstung.

Im letzten, erlöschenden Tageslicht sah er, wie dort unten seine Geliebte, ganz in schwarze Schleier gehüllt, aus der Tür geführt wurde. Dann erschien eine von zwei Rappen gezogene schwarze Kutsche, deren Dach ein einziges großes Bildnis war, das von Trauer und Verzweiflung erfüllte Gesicht seines Vaters. Die Geliebte stieg in die Kutsche, und das Gefährt entfernte sich, bis es im Dunkel verschwand.

In diesem Augenblick begriff der Sohn, daß seine Aufgabe gewesen war, ungehorsam zu sein, und daß er die Prüfung nicht bestanden hatte. Er fühlte, wie seine traumgeschaffenen Flügel verwelkten und von ihm abfielen, als seien sie herbstliche Blätter, und er wußte, daß er nie wieder fliegen würde, und daß er nie wieder glücklich sein konnte, und daß er, solange sein Leben währen mochte, im Labyrinth bleiben würde. Denn nun gehörte er dazu.

DIE MANSARDENKAMMER IST HIMMELBLAU, die Wände, die Decke, der Boden, die paar Möbel. Der Student sitzt am Tisch und hält seinen Kopf mit beiden Händen. Seine Haare sind verwirrt, seine Ohren glühen, seine Hände sind kalt und feucht. Kalt und feucht ist der ganze kleine Raum. Und nun ist auch noch das elektrische Licht ausgefallen.

Er zieht das Buch näher zu sich heran und beginnt noch einmal von vorn. Er muß, er muß das Pensum noch schaffen. Nächste Woche ist das Examen.

«...Die spezielle Relativitätstheorie gründet sich auf Konstanz der Lichtgeschwindigkeit... *P* ist ein Punkt im Vakuum... *P'* ein um die Strecke *d sigma* entfernter unendlich benachbarter... ein unendlich benachbarter... in *P* gehe zur Zeit *t* ein Lichtimpuls aus und gelange nach *P'* zur Zeit $t + dt$...»

Der Student fühlt, daß seine Augen hart und trocken sind wie Hornknöpfe. Er reibt sie eine Weile mit den Fingern, bis sie zu tränen beginnen. Sich zurücklehnend blickt er in der Mansarde umher, ein Verschlag aus Spanplatten, den er sich vor zwei Jahren selbst gebaut hat – in einer Ecke des großen Speichers. Damals mochte er himmelblau, jetzt mag er es nicht mehr. Aber er hat keine Zeit, noch irgend etwas zu ändern. Er hat schon zu viel versäumt.

Ob sie ihm überhaupt erlauben werden, weiter hier zu wohnen? Er zahlt Miete, natürlich, aber nur sehr wenig. Deswegen hat er sich ja hier eingerichtet. Wer kein Geld hat, kann keine Ansprüche stellen. Aber jetzt, wo der frühere Besitzer des Hauses gestorben ist, werden sie ihm vielleicht die Miete erhöhen. Wo soll er dann hin? Und ausgerechnet jetzt, vor dem Examen. Wie soll sich einer auf die Arbeit konzentrieren, wenn er nicht einmal weiß, wo er morgen bleiben wird! Wenn sich die Erben nur endlich einig würden, damit man wenigstens weiß, woran man ist.

Er schiebt das Buch zurück und steht auf. Er ist blaß und lang, viel zu lang. Er muß den Kopf einziehen, um nicht an die Decke zu stoßen. Er will jetzt endlich Gewißheit haben, jetzt sofort, damit er, von Sorgen nicht mehr beunruhigt, weiterarbeiten kann.

Der riesige Speicher, durch den er geht, ist vollgestopft mit allen nur denkbaren Gegenständen, Möbeln, Riesenvasen, präparierten Tieren, lebensgroßen Puppen, unverständlichen Maschinen und Räderwerken. Er steigt die breite Treppe hinunter, dann läuft er durch die lange Galerie, in der tausende von blinden Spiegeln hängen, große und kleine, glatte und gekrümmte, die sein Bild tausendfach, aber verschwommen zurückwerfen.

Endlich kommt er in einen der großen Säle. Hier sieht es aus wie in einem Völkerkundemuseum nach einer Plünderung. Die Glasvitrinen sind teilweise zertrümmert, Schmuck und Kostbarkeiten, die in ihnen zur Schau gestellt waren, sind herausgerissen. Mumienschreine hat man aufgebrochen, Gefäße liegen in Scherben auf Haufen geworfen, Rüstungen hängen schief in den Gestellen, und aztekische Festgewänder aus Kolibrifedern lösen sich in Fetzen auf und werden von Motten gefressen.

Der Student bleibt stehen und schaut erstaunt umher. Wie kann das alles so verkommen sein, seit er das letzte Mal hier war?

Aber wann war er denn das letzte Mal hier? Lebte der frühere Besitzer noch? Ja, wahrscheinlich. Eigentlich hat er ihn selbst nie zu Gesicht bekommen. Nur dessen alten Diener, einen Mann mit strengem Gesicht und feierlicher Würde.

Während der Student noch nachdenkt, betritt eben jener Diener den Saal. Er hat einen großen Staubwedel unter dem Arm, seine Livree ist besudelt und zerrissen, die weißen Haare stehen wirr um seinen Kopf, und – ja, tatsächlich! – er schwankt ein wenig beim Gehen und macht fahrige Bewegungen mit den Händen, während er vor sich hinmurmelt.

«Guten Tag!» sagt der Student höflich, «könnten Sie mir bitte sagen . . .»

Aber der alte Diener geht gestikulierend an ihm vorüber und scheint ihn nicht wahrzunehmen. Der Student folgt ihm.

«Sinnlos!» murmelt der Diener mit einer definitiven Geste, «es ist absolut sinnlos, daß man überhaupt anfängt. Gott zum Gruß, mein lieber junger Mensch.»

Der Student ist einigermaßen verwirrt. «Was meinen Sie damit?»

«Ganz gleich was!» schreit ihn der Diener an. «Ein Anfang, das ist immer eine ungeheuerliche Sinnlosigkeit. Warum? Es gibt ihn nicht! Kennt die Natur vielleicht einen Anfang? Nein! Also ist es widernatürlich anzufangen! Und in meinem Fall? Ebenso sinnlos. Beweis: Zum Beispiel jetzt.»

Er zieht eine Flasche aus der Rocktasche, kippt einen Schluck in seine Gurgel, schüttelt sich, rülpst, steckt die Flasche sorgfältig wieder weg. Der Student will gerade seine Frage vorbringen, aber der Alte fährt schon fort:

«Denken muß man», er tippt sich mehrmals gegen die Stirn, «objektiv denken, das muß man! Verstanden, junger Mensch? Wenn ich also objektiv denke, dann muß ich mir sagen, es besteht nicht die geringste Aussicht, daß ich, ein einzelner, schwacher Mensch, an der Lage der Dinge irgend etwas ändern werde. Wer bin ich denn, daß ich mich dessen unterfangen dürfte? Ein von lebenslänglicher Anstrengung zu denken entnervter Greis, das bin ich. Keine Widerrede!»

Wieder zieht er die Flasche heraus, trinkt, wischt sich mit dem Ärmel den Mund.

«Man muß aus dem Geist leben, verstanden, junger Mensch? Aus der Erkenntnis muß man leben! Aber das ist gar nicht so einfach. Besonders im alltäglichen Leben. Angenommen, ich stürze mich in den aussichtslosen Kampf gegen die Übermacht all dieses schlummernden Staubes – was werde ich ausrichten? Nichts, gar nichts, das sagt mir meine logische Vernunft. Außer vielleicht eine Verschlimmerung der sowieso schon verzweifelten Verhältnisse. Ein Beispiel: Ich werde jetzt diesen Vorhang aufziehen, worauf der sofort abreißen wird.»

Er zieht einen schweren Vorhang am Fenster auf, und dieser reißt sofort ab und sinkt in einer Staubwolke zu Boden.

«Ein weiteres Beispiel», fährt der Alte unbeirrt fort, «ich werde versuchen, dieses Fenster zu öffnen, worauf es mir sofort entgegenfallen wird.»

Er versucht das Fenster zu öffnen, und es fällt ihm sofort entgegen. Die Scheiben zerklirren am Boden.

Der Diener blickt den Studenten triumphierend an.

«Wie gesagt, das beweist alles. Das Chaos wächst nur mit jedem Versuch, es zu bezwingen.

Das beste wäre, sich still zu halten und gar nichts mehr zu tun.»

Er nimmt noch einen Schluck.

«Ach so», sagt der Student und blickt zerstreut umher, «Sie wollen hier Ordnung machen?»

«Abstauben!» verbessert ihn der alte Diener, «abstauben, wie ich es ein Leben lang getan habe. Aber da sehen Sie selbst, was von all unserer Müh' und Plage bleibt: Staub. Oder vielmehr sieht es so aus, als bliebe als Letztes Asche. Staub am Anfang und am Ende Asche. Das bleibt sich gleich. Jedenfalls ist es, als sei man nie gewesen. Spurenlos geht man hinweg, das ist das Schlimmste.»

«Immerhin», meint der Student freundlich, nur um irgend etwas Ermunterndes zu sagen, «immerhin weht ein bißchen frische Luft herein. Man hört das Pfeifen der einfallenden Bekassinen vom Moor herüber. Das ist doch auch etwas.»

Der Alte kichert und hustet. «Ja ja, die liebe Natur! Die geht einfach ihren Gang. Unsere Schwierigkeiten sind ihr wurst. Sie muß ja auch keine Entscheidungen treffen wie ich. Aber nein, der Mensch ist kein Vogel, denn er hat keine Flügel. Der Mensch muß aus der objektiven Erkenntnis leben, dafür hat er sein Hirn, junger Mensch! Das ist die Moral. Moral, das heißt: Es geht nicht so einfach. Merken Sie sich das, junger Mensch! Ich muß noch einmal von vorne anfangen, das Problem durchzudenken.»

«Ich sehe schon», sagt der Student, «Sie sind

nicht leicht zu entmutigen. Aber könnten Sie mir vorher nur eben rasch eine kleine Auskunft geben?»

Der Diener hört ihm nicht zu. Er läuft weiter in den nächsten Saal hinüber und redet vor sich hin. «Das Problem liegt folgendermaßen: Wenn es tatsächlich sinnlos ist anzufangen, dann ist es sinnvoll nicht anzufangen. Ergo: Ich lasse es besser bleiben.»

«Richtig!» sagt der Student, der hinter ihm herläuft, «lassen Sie es bleiben.»

«Ein zwingender Schluß!» Der alte Diener lacht listig. «Aber jetzt passen Sie auf, junger Mensch: Was ist das menschliche Leben?»

Der Student schaut ihn ratlos lächelnd an. «Ja, also ehrlich gesagt, ich möchte mich da nicht festlegen. . . .»

Der Alte tippt ihm mit dem Finger gegen die Brust und bläst ihm seinen Atem ins Gesicht. «Auf verlorenem Posten kämpfen, das ist das Leben!» sagt er und betont jedes Wort einzeln. «Und worin besteht die moralische Größe, der sittliche Appell, der ethische Imperativ? Ich sage es Ihnen, junger Mensch: Auch wenn alles sinnlos ist, man muß dennoch anfangen! Warum? Weil man tun muß, was man kann!»

«Bravo!» sagt der Student und versucht dem Atem auszuweichen.

«Ich gebe offen zu», fährt der Diener fort, «ich habe mich soeben selbst total in die Enge getrieben, unausweichlich! Und das will etwas heißen.»

«Sie sind tatsächlich ein unerbittlicher Denker», wirft der Student rasch ein.

Der Alte zieht tief die Luft ein und breitet die Arme aus. «Hier stehe ich als Hausmeister und Mensch», ruft er durch die Flucht der Säle, «gegen mich die ganze hoffnungslose Übermacht des Chaos, und ich habe einen unwiderruflichen Entschluß gefaßt.»

Plötzlich sinkt er zusammen, packt den Studenten am Arm und klammert sich an ihn.

«Wenn mich jetzt nicht jemand im letzten Augenblick vom Abgrund zurückreißt», flüstert er entsetzt, «dann werde ich unweigerlich Staub zu wischen beginnen. Die Folgen, junger Mensch, sind unabsehbar!»

Aber der Student hat kaum zugehört und schüttelt den Alten ab. Er hat etwas gesehen, das seine Aufmerksamkeit aufs höchste fesselt. In der Mitte des übernächsten Saales, so daß sie durch die geöffneten Türflügel sichtbar sind, sitzen Leute um einen langen Konferenztisch. Sie sind nicht deutlich zu unterscheiden, denn es herrscht Halbdunkel in dem Saal, aber der Student zweifelt nicht, daß es die Erben sind, die dort verhandeln.

«Sagen Sie bitte», flüstert er dem Alten zu und zeigt zu dem Tisch hinüber, «weiß man schon irgendwas Genaueres?»

«Danke», antwortet der Diener ebenso leise,

«danke, daß Sie mich ablenken, junger Herr. Leider muß ich Ihnen mitteilen, nein, man weiß noch immer nichts.»

«Ach, das ist doch zu dumm!» meint der Student und geht entschlossen auf den Tisch zu. «Ich muß sie einfach fragen. . . .»

Aber der Alte hat ihn am Ärmel erwischt und versucht, ihn zurückzuhalten. «Um Himmels willen, stören Sie die Herschaften nicht. Nicht gerade jetzt! Das geht auf gar keinen Fall!»

Der Student bleibt stehen, und ohne die Erben aus dem Auge zu lassen, erklärt er halblaut: «Ich muß jetzt einfach wissen, ob ich bleiben kann oder ob ich mich nach einer neuen Unterkunft umsehen muß, verstehen Sie doch! So was nimmt Zeit in Anspruch, und ich habe im Augenblick keine Zeit zu verlieren. Nächste Woche ist mein Examen, und wenn sie mich morgen oder übermorgen hinauswerfen, dann sitze ich schön da.»

«Ich verstehe schon», sagt der Alte und tätschelt ihm die Wange, «nur noch ein klein wenig Geduld. Ihr jungen Menschen seid so ungeduldig. Wenn Sie darauf bestehen, dann werde ich mich bei passender Gelegenheit für Sie erkundigen.»

«Das haben Sie mir schon vor zwei Wochen versprochen!»

«Gewiß, aber die Herrschaften sind sich leider noch nicht recht einig geworden, wer von ihnen der neue Eigentümer sein wird.»

«Es dauert ziemlich lang, finden Sie nicht?»

«Wie man's nimmt. Solche Dinge brauchen ihre Zeit. Aber die Herrschaften kommen der Einigung von Stunde zu Stunde näher, glauben Sie mir! Sie machen die größten Anstrengungen. Aber es ist eben sehr, sehr schwierig unter diesen ungewöhnlichen Umständen zu einer Lösung zu kommen.»

«Die Herrschaften sind aber ziemlich still, finde ich. Sie reden ja nicht einmal miteinander!»

«Ja, ja, leider ist wieder einmal ein toter Punkt eingetreten. Jetzt denken alle nach, um eine neue Verhandlungsbasis zu finden. Stören Sie nur jetzt nicht, sonst dauert es noch viel länger!»

Aber der Student reißt sich mit Gewalt von dem Diener los und geht entschlossen zu dem Tisch, um den die Leute sitzen. Während er näher kommt, bemerkt er, daß sie steif und reglos sind wie Mumien. Dicker Staub liegt auf ihren Köpfen, ihren Bärten, ihren Kleidern, ihren Brillen. Zwischen ihnen hängen Spinnweben, die nun leise im Luftzug wehen. Wortlos zeigt der Student darauf und blickt den alten Diener an.

«Ja», murmelt der verlegen, «wie eine Hängematte, nicht wahr?»

Der Student schaut auch unter den Tisch und die Stühle. Dort ziehen sich überall Spuren von winzigen Füßchen durch den Staub. Es sind wohl Asseln oder Käfer gewesen.

«Wollen Sie mal einen Schluck?» fragt der alte Diener und reicht dem Studenten die Flasche hin.

«Man bekommt Durst bei dem Anblick, finden Sie nicht?»

Der Student riecht an der Flasche und fährt zurück. «Mein Gott, was ist denn da drin?»

«Essig», erklärt der Alte plötzlich ganz in seiner früheren ernsten Würde, «Essig und Galle. Eine berühmte Mischung. Sie macht nüchtern. Das einzige Mittel, um in dieser bewußtseinstrübenden Lage immer wieder zur Vernunft zu kommen. Sie sehen, ich bin ein umgekehrter Trinker. Man gewöhnt sich an alles. Sie werden sich auch noch daran gewöhnen.»

«Das glaube ich kaum», antwortet der Student. «Und ich gewöhne mich auch nicht an diese verdammte Unsicherheit, daß ich nicht weiß, was nun mit mir und meinem Zimmer wird.»

«Oh», macht der Alte und lächelt traurig, «das ist nur der Anfang. Aber offen gestanden, ich habe auch nicht damit gerechnet, daß sich die Dinge so hinziehen würden. Ich hatte tatsächlich geglaubt, das Testament des verstorbenen Herrn würde einfach eröffnet und man wüßte, woran man ist.»

«Was ist denn eigentlich dazwischengekommen?»

Der Alte nimmt einen Schluck. «Dazwischengekommen ist eigentlich gar nichts.» Er korkt die Flasche zu und steckt sie ein.

Der Student geht langsam um den langen Tisch herum und schaut den Erben in die verstaubten

Gesichter, einem nach dem anderen. Er bläst einen an, und eine Wolke erhebt sich.

Er seufzt und setzt sich auf ein damastbezogenes Sofa, das jedoch sofort unter ihm zusammenbricht. Er rappelt sich mühsam hoch und klopft sich ab.

«Lang», sagt er, «dürfen die aber nicht mehr weitermachen, wenn überhaupt noch etwas übrigbleiben soll.»

«Ganz meine Meinung», antwortet der Diener und wedelt ihn mit dem Staubwedel ab.

«Wie lang, glauben Sie, wird es noch dauern?»

«Das ist schwer zu sagen. Vielleicht nur noch kurz, vielleicht auch nicht.»

«Aber vorerst kann ich wohl damit rechnen, daß mir meine Mansarde noch ein Weilchen erhalten bleibt, nicht wahr?»

«Darauf würde ich mich lieber nicht verlassen, junger Herr.»

«Ach, Scheiße!» sagt der Student sanft. «Das ist doch wirklich idiotisch, so in der Luft zu hängen.»

Der Alte lacht wieder hustend. «Wir hängen alle in der Luft, Sie, die Erben, ihre Angehörigen, sogar ich.» Er macht eine Geste um seinen Hals, als hinge er an einem Strick. «Und dabei werden einem so leicht die Füße kalt.» Er hustet wieder.

«Die Erben?» fragt der Student. «Wieso die?»

«Nun, die Herrschaften wissen ja auch nicht, wie sie sich gegeneinander verhalten sollen, mit wem sie sich gut stellen müssen und mit wem nicht. Jeder kann für jeden einmal wichtig werden, keiner darf es sich leisten, es ganz mit einem anderen zu verderben. Also hassen sie sich stumm und mustern einander mit Augen wie Revolvermündungen. Das Schlimmste ist jedoch, jeder hat eine Unmenge Angehörige mitgebracht, die sich in allen Räumen des Hauses breitmachen. Aber wir sind nicht eingerichtet für so viele Gäste. So haben sie in den unteren Sälen schon Hütten und Bungalows errichtet, sie haben dazu kostbare alte Möbel demoliert und Bretter aus der Vertäfelung gerissen. Neuerdings richten sie sogar Feuerstellen auf dem Parkett ein, um ihre Mahlzeiten zu kochen. Die elektrischen Leitungen des Hauses reichen bei weitem nicht aus, um all die Heizöfen, Kochplatten, Radioapparate, Fernsehgeräte und was weiß ich noch auszuhalten. Irgendwann werden wir den fürchterlichsten Brand erleben. Ich gehe herum und flehe die Leute an, aber jeder sagt mir: Warum gerade ich? Keiner will sich natürlich einschränken, ohne daß es die anderen zuerst tun. Am Anfang war das alles ja nur als ein Provisorium gedacht, aber inzwischen haben sich die Herrschaften in diesem Provisorium längst häuslich eingerichtet. Es ist zum Weinen.»

Der Alte zieht ein schmutzstarrendes Taschentuch heraus und putzt sich die Nase.

«Von all dem», sagt der Student verwirrt, «habe ich fast nichts bemerkt – außer, daß der Strom oft ausgefallen ist.»

«Und wie ich selbst in der Luft hänge», fährt der Diener mit klagender Stimme fort, «davon können Sie sich kaum eine Vorstellung machen, lieber junger Mensch! Alle Herrschaften betrachten mich als ihren persönlichen Diener: Tun Sie dies! Besorgen Sie mir das! Aber möglichst schnell! Und ich kann mich nicht wehren, weil ja jeder der neue Herr werden kann. Ich bin dieser Anforderung einfach nicht mehr gewachsen! Und denken Sie nur, man benützt mich sogar, um sich gegenseitig zu bespitzeln. Und ich, ich darf es doch mit keinem verderben! Und das einem Mann, der gewohnt ist, aus dem Denken, aus der Vernunft zu leben! Es ist die Hölle!»

Der Alte wischt sich mit dem Taschentuch die Augen. «Aber was wird erst sein, wenn die Verhältnisse einmal geregelt sind? Was wird dann aus mir? Sagen Sie mir das! Werde ich meine Stellung behalten dürfen? Wird man mich für diese übermenschliche Arbeit wenigstens bezahlen? Oder stößt man mich trotz all meiner Anstrengung zuletzt doch auf die Straße, alt und gebrechlich wie ich bin? Dieses Damoklesschwert über meinem Haupt lähmt, wie sie begreifen werden, meinen Arbeitseifer. Und eben dadurch säge ich selbst an dem Haar, an dem dieses Schwert hängt! Die Menschen sind grausam! Junger Mensch, Sie sehen vor sich einen Verzweifelten!»

Schluchzend lehnt sich der Alte an die Brust des Studenten. Dieser streichelt ihn verlegen und murmelt: «Ich sollte zwar eigentlich arbeiten – aber ich habe in den letzten Tagen und Nächten so angestrengt gebüffelt, daß mir ein bißchen Bewegung vielleicht ganz guttut. Wenn ich Ihnen also an die Hand gehen kann, dann ...»

Der alte Diener ist sofort getröstet.

«Aber gewiß», sagt er, «körperliche Arbeit ist sehr gesund, fast so gesund wie Schlaf. Hier, nehmen Sie gleich den Staubwedel und fangen Sie an! Aber Vorsicht, bitte schön! Machen Sie nichts kaputt!»

Er geht zur Tür, dreht sich noch einmal um und sagt streng: «Ich komme später vorbei und sehe nach, ob du auch anständig gearbeitet hast. Also gib dir Mühe, Junge, sonst lernst du mich von einer anderen Seite kennen! Hopp, worauf wartest du?»

Er geht hinaus, und der Student schaut ihm erstaunt nach. Dann zuckt er mit einem blassen Lächeln die Achseln und beginnt, mit dem Wedel abzustauben. In einer Wolke von Staub hält er hustend inne und versinkt in Nachdenken.

«Moment», murmelt er vor sich hin, «wie war das noch? Ich muß es aufschreiben ...»

Er geht zu dem Tisch, um den die reglosen Erben sitzen, und beginnt mit dem Finger in den Staub zu schreiben.

«*d sigma* hoch zwo gleich *c* hoch zwo *dt* hoch zwo ... führt man die imaginäre Zeitkoordinate Wurzel minus eins *c t* gleich *x* vier ein, dann heißt das Gesetz von der Konstanz der Lichtausbreitung *ds* hoch zwo gleich *dx* eins hoch zwo plus *dx* zwo hoch zwo plus *dx* drei hoch zwo plus *dx* vier hoch zwo gleich Null . . .»

Er zieht sich einen Stuhl an den langen Tisch, setzt sich zwischen zwei der Erben, stützt den Kopf auf und rechnet weiter.

«Da diese Formel einen realen Sachverhalt ausdrückt, muß auch die Formel *ds* eine reale Bedeutung haben, auch dann, wenn die benachbarten Punkte des vierdimensionalen raumzeitlichen Kontinuums so liegen, daß *ds* verschwindet . . . nein, halt, *nicht* verschwindet . . . nicht verschwindet . . . nicht . . .»

Sein Kopf sinkt langsam auf die Tischplatte, und mit der Wange auf den Formeln im Staub schläft er ruhig und mit tiefen Atemzügen wie ein Kind.

DIE BAHNHOFSKATHEDRALE STAND AUF einer großen Scholle aus schiefergrauem Gestein, die durch den leeren, dämmernden Raum dahinschwebte.

Es gab noch andere solche Inseln, größere oder kleinere, die in verschieden großem Abstand hinzogen, manche so fern, daß man nicht mehr erkennen konnte, was auf ihnen vorging, andere gerade nahe genug, daß es möglich war, sich Zeichen zu geben. Manche hatten dieselbe Geschwindigkeit, blieben also immer gleich weit voneinander entfernt, andere fuhren langsamer oder schneller dahin, so daß sie vorauseilten oder zurückblieben, bis sie nicht mehr zu sehen waren. Die meisten schienen unbewohnt oder waren jedenfalls dunkel, nur wenige waren illuminiert wie die, auf der die Bahnhofskathedrale stand, ein babylonisches Bauwerk von verwirrenden Ausmaßen, noch lange nicht fertig, wie die vielen Gerüste erkennen ließen. Aus den filigranartig durchbrochenen Mauern strahlte und glitzerte Licht. Orgelmusik ertönte aus dem Inneren.

Eine Lautsprecherstimme dröhnte: «Achtung, Achtung! Anschlußreisende! Der Ersatzzug aus

Richtung *d sigma* hoch zwo wird fahrplanmäßig zum Zeitpunkt *t* plus *dt* auf Gleis *ct* einlaufen . . .»

In der Bahnsteighalle wogten graue Menschenmassen hin und her, drängten sich in Strömen aneinander vorbei, schleppten Lasten, schrieen, gestikulierten und verkeilten sich ineinander. Da und dort hockten Gruppen auf dem Boden oder auf Bergen von notdürftig zusammengeschnürtem Gepäck, Schachteln, Kisten und Bündeln. Alle diese Leute waren in schmutzige Fetzen gekleidet, Lumpengesindel, Bettelvolk, verlaust, triefäugig, schorfig, verkommen. Aber die Körbe, Koffer und Säcke, die sie bei sich hatten, quollen über von Geldscheinen. Gepäckkarren, die mühsam zwischen ihnen durchgeschoben wurden, waren hoch mit Stapeln gebündelter Banknoten beladen.

Am äußersten Rande eines Bahnsteigs, dort wo die Halle sich nach außen öffnete und etwa ein Dutzend Gleise in den leeren Raum hinausragte, stand ein Feuerwehrmann und blickte mit ratlosen Augen auf das Treiben. Er trug eine dunkelblaue Uniform mit blankgeputzten Messingknöpfen, den Helm mit dem ledernen Nackenschutz auf dem Kopf, das blinkende, vernickelte Beil im Halfter am Gürtel. Ein dicker schwarzer Schnauzbart zierte seine Oberlippe.

Ganz in seiner Nähe mühte sich ein schmächtiges junges Weib mit einer großen Reisetasche ab, die es kaum zu schleppen vermochte. Es war in eine

Art Büßergewand, eine Mönchskutte aus schwerem, schwarzem Stoff gekleidet, die völlig zerschlissen war. Die Kapuze umrahmte ein bleiches, asketisch mageres Gesicht mit brennenden Augen.

Der Feuerwehrmann näherte sich der jungen Frau.

«Gestatten Sie?» fragte er, «kann ich Ihnen behilflich sein?»

Sie ließ es verwundert zu, daß er ihr die Tasche aus der Hand nahm und sich auf die Schulter lud. «Wohin?»

«Hören Sie die Orgel?» sagte sie. «Bald bin ich an der Reihe. Ich muß in die Schalterhalle.»

Er ging voraus, stieg über einige am Boden schlafende Elendsgestalten weg, die mit den Köpfen auf Bündeln von Geldscheinen lagen.

«Was ist das hier eigentlich?» rief er zurück, «ich meine, wie heißt die Station?»

«Zwischenstation», antwortete sie.

«Ah?» machte er und warf ihr einen Blick von der Seite zu, denn er war nicht sicher, ob er im Lärm richtig verstanden hatte. «Für Sie auch? Ich bin nämlich nur auf der Durchreise hier, Gott sei Dank! Ich steige hier nur um.»

«Das glauben alle», erwiderte sie, «ich habe es auch geglaubt. Aber die Zwischenstation ist die Endstation – jedenfalls solange der Zauber hier nicht aufhört. Und er hört nicht auf. Er hört nicht auf.»

Der Lautsprecher dröhnte: «Dreizehntausendsiebenhundertelf ... dreizehntausendsiebenhundertzehn ...»

Eine Gruppe von vogelscheuchenartigen Figuren drängte sich zwischen sie und trennte sie. Als die junge Frau sich wieder zu ihm durchgekämpft hatte, sagte sie hastig: «Wir werden niemals ankommen. Keiner hier. Das wissen Sie so gut wie ich, nicht wahr?»

«Was soll ich wissen?» fragte er und hob die schwere Reisetasche auf die andere Schulter, «ich weiß gar nichts.»

«Daß keine Züge ankommen und keine abfahren. Alles Lüge!»

«Unsinn!» gab er zurück, «ich bin vor kurzem erst angekommen und habe nicht die Absicht, hier zu bleiben. Ich habe hier nichts zu suchen.»

Sie ließ ein kleines, unfrohes Lachen hören. «Wirklich? Das wird sich zeigen. Wohin wollen Sie denn reisen?»

«Zu einem Fest ...» sagte er unsicher, «einer Parade oder sowas ... ich soll eine Auszeichnung bekommen ... glaube ich.» Ein wenig ärgerlich schloß er: «Verzeihen Sie, aber das geht Sie eigentlich nichts an.»

Beide wurden sie von Bettelvolk hin und her gestoßen, und die junge Frau klammerte sich an seinem Arm fest.

«Niemand wird ankommen!» schrie sie ihm ins Ohr, «niemand! Niemand!»

Sie mußten einem eisernen Karren mit quietschenden Rädern ausweichen, den ein riesiger Lumpenkerl mit kahlem, pustelbedecktem Kopf auf sie zu schob. Auf dem Karren lag ein himmelblauer Kindersarg. Der Deckel stand halb offen, der Sarg quoll von Geldscheinen über. Der Feuerwehrmann starrte darauf hin und wischte sich mit der freien Hand den Schweiß von der Stirn, der ihm plötzlich ausbrach. Er ging hastig weiter und drängte nun seinerseits eine Gruppe von Hungerleidern grob auseinander.

Er und die junge Frau hatten jetzt fast den großen Torbogen erreicht, der den Eingang in die Schalterhalle bildete. Die Orgelmusik war hier so mächtig, daß die Verständigung schwierig wurde. Als sie einen Moment abbrach, sagte er: «Wissen Sie was? Ich höre den Wecker in Ihrer Reisetasche ticken.»

Sie wurde noch eine Spur bleicher.

«Das ist kein Wecker», antwortete sie mit spröder Stimme.

«Zwölftausendneunhundertdrei . . .», dröhnte der Lautsprecher, «zwölftausendneunhundertzwei . . . zwölftausendneunhunderteins . . .»

Als sie sich gegen einen Menschenstrom in die große Schalterhalle durchgewühlt hatten, setzte er die Reisetasche ab. Sie standen gegen einen Pfeiler des Torbogens gedrängt nebeneinander.

Die Schalterhalle war riesig und verlor sich nach oben in der Dunkelheit. Auf der linken Seite lag eine Art Apsis, rechts war auf halber Höhe ein Zwischengeschoß eingezogen, auf dem groß wie ein Gebirge die Orgel aufragte. Hoch in der Apsis befand sich anstelle der Rosette eine große Uhr, deren Zifferblatt von hinten erleuchtet war, doch fehlten die Zeiger. Darunter, auf erhöhter Ebene, stand der Altar, in dessen Mitte sich das Tabernakel erhob. Es hatte die Gestalt eines mächtigen Tresors mit fünf Nummernschlössern auf der Tür, die als umgekehrtes Pentagramm angeordnet waren. Nicht nur der Altar und das Tabernakel, sondern jeder Vorsprung, jede Balustrade, jede Stelle, die es nur irgend zuließ, war mit flackernden Kerzen beklebt. Überall hatte das rinnende Wachs erstarrte Kaskaden, Tropfenbärte und Zapfen gebildet. Hunderte von verschieden hohen Leitern lehnten rings an den Wänden. Das Gedränge der Elenden war in dieser Halle eher noch fürchterlicher als draußen bei den Gleisen. Die Massen bildeten regelrechte Strudel und Ströme, die gegeneinander brandeten. Die Luft war heiß wie in einem Backofen, Rauch- und Staubschwaden zogen umher, es roch nach Schweiß und Müll.

Vor dem Altar hopsten wie in einem Tanzritual beständig einige arme Schlucker in knöchellangen, schmutziggrauen Kitteln herum, groteske Gestalten mit Traubennasen, Kröpfen, Buckeln, Hängebäuchen, beulenbedeckten Nacken, zahnlosen Mündern und verkrüppelten Gliedern. Sie hantierten mit allerlei Gerät oder machten mit den Fingern Zeichen über die Köpfe der Menge weg wie Börsenmakler. Von Zeit zu Zeit wurde der Tresor geöffnet, dann fiel eine Ladung gebündelter Geldscheine heraus. Einer der Schlemihle nahm ein solches Bündel, hielt es feierlich mit beiden Händen hoch und zeigte es der Menge. Diese sank auf die Knie, die Orgel brauste gewaltig, und ein tausendstimmiger Chor schrie: «Wunder und Geheimnis!» Die Bündel wurden an die vorderen Reihen der Elendsgestalten verteilt und der Tresor geschlossen. Das Ritual begann unverzüglich wieder von neuem. Die Empfänger schlugen sich durch die Menge, um ihren Gewinn in Sicherheit zu bringen, und die Nachdrängenden nahmen ihre Plätze ein. Auf den Leitern turnten fortwährend behende Handlanger auf und ab und deponierten die Geldscheinbündel irgendwo hoch droben an den Wänden.

Erst jetzt bemerkte der Feuerwehrmann, daß sämtliche Mauern, sämtliche Säulen und Pfeiler, auch der des Torbogens, gegen den er gedrängt stand, aus solchen aufgetürmten Geldscheinbündeln bestanden. Die ganze Kathedrale war aus Papiergeldziegeln errichtet. Und weiter und weiter wurde an ihr gebaut, denn jedes Öffnen des Tabernakels spie neue Mengen aus. Die tausend und abertausend Kerzenflammen tanzten und wehten, und das Wachs rann und tropfte.

«Gott im Himmel!» murmelte er, «das ist gegen

jede Sicherheitsvorschrift! Das ist hellichter Wahnsinn!»

Er nahm seinen Helm ab und wischte mit dem Taschentuch das Innenleder trocken. Seine Jacke hatte er aufgeknöpft. Die Orgel verstummte.

«Würden Sie mir einen Gefallen tun?» fragte die junge Frau, die ihn schweigend beobachtet hatte, «ich muß rasch auf die Empore. Es wird nicht lang dauern. Könnten Sie inzwischen auf meine Tasche achtgeben?»

Er nickte abwesend, ohne seinen Blick von den endlosen Reihen der Kerzenflammen lösen zu können, und sagte: «Das kann nicht gutgehen.»

Ein schlitzohrig aussehender Kerl mit einem Bauchladen stand plötzlich vor ihm. Er hatte einen runden, steifen Hut auf, und seine Wangen waren so ausgehöhlt, daß sie nahezu wie Löcher erschienen. In dem Bauchladen befanden sich etliche Stapel geschlossener Couverts.

«Das Glück läuft Ihnen nach, Herr Feuerwehrhauptmann!» sagte der Kerl mit schiefem Lächeln, «weisen Sie es nicht von sich! Lassen Sie sich die einmalige Gelegenheit nicht entgehen, sie kommt nicht wieder! Ergreifen Sie Ihre Chance!»

«Das Glück?» fragte der Feuerwehrmann, «was meinen Sie damit?»

Der Kerl sah ihn aus fischigen Augen an, seine Hände fuhren nervös über die Couverts. «Es kostet Sie nichts. Es ist alles umsonst. Greifen Sie zu!»

«Umsonst?» Der Feuerwehrmann schüttelte den Kopf. «Hören Sie, ich fürchte, ich bin nicht reich genug, um mir etwas leisten zu können, das nichts kostet.»

Der Ganove kicherte. «Richtig, die Geheimnisse des wahren Profits erscheinen oft paradox. Aber vertrauen Sie mir, Herr, und greifen Sie zu! Ich verspreche Ihnen, Sie werden bald so viel Geld haben, daß Sie sich's leisten können, akzeptiert zu haben!»

«Was haben Sie denn da?»

Der Halunke verzog sein Gesicht von neuem zu einem Lächeln. «Mein Herr, ich biete Ihnen hier die letzten Aktien der Bahnhofskathedrale an. Wenn Sie sie nehmen – unentgeltlich, wie gesagt –, haben auch Sie Ihren sicheren Anteil an der *Wunderbaren Geldvermehrung.*»

«Nein, danke», antwortete der Feuerwehrmann, «ich möchte keinen Anteil daran haben. Ich bin nur auf der Durchreise hier. Ich möchte sobald wie möglich weiterreisen.»

«Das wollten alle», sagte der Kerl, «aber dann haben sie sich's anders überlegt. Sie sehen ja, wieviele es sind, die ihren Vorteil wahrzunehmen verstehen, und es werden immer noch mehr. So viele gescheite Leute können sich doch wohl nicht irren – oder halten Sie sich selbst für so viel klüger?»

«Außerdem», fuhr der Feuerwehrmann unbeirrt fort, «wird das hier sowieso nicht lang dauern. Es wird bald ein schlimmes Ende nehmen.»

«Da irren Sie sich!» rief der andere, «die *Wunderbare Geldvermehrung* wird immer weitergehen. Sie hört niemals auf. Und solang sie nicht aufhört, will niemand abreisen. Und solang niemand abreisen will, gehen keine Züge. Alles wird bleiben, wie es ist! Wollen Sie nicht doch ein paar Aktien? Wenigstens zwei oder drei?»

«Nein!» schrie ihn der Feuerwehrmann an.

«Schon gut, schon gut!» Der Ganove hob beschwichtigend die Hände. «Aber beschweren Sie sich später nicht bei mir! Ich habe es Ihnen gesagt.»

Er lüpfte den Hut und verschwand eilig im Gedränge.

«Zehntausendsiebenhundertneun...», brüllte der Lautsprecher, «zehntausendsiebenhundertacht... zehntausendsiebenhundertundsieben...»

Die Orgelmusik setzte wieder ein, diesmal gedämpft. Die Melodie klang nach einem alten Choral, doch war nur eine einzige Frauenstimme zu hören. Sie schwebte warm und stark durch den riesigen Raum. Niemand achtete darauf, nur der Feuerwehrmann blickte erstaunt zu der Empore hinauf, wo sie herkam. Er erkannte die junge Frau im schwarzen Mönchsgewand, die dort oben am Geländer stand und sang.

«Eine Künstlerin!» flüsterte er, «eine wahre Künstlerin! Das hätte ich nie gedacht.»

Er war so von der Schönheit der Stimme gefangen, daß er zunächst nicht auf die Worte des Liedes achtete. Ein eigentümliches Beben in ihr berührte ihn beinahe körperlich im tiefsten Inneren. Besonders wenn sie von der Höhe in die Tiefe umschlug, war es ein kleiner hysterischer Bruch, der ihn regelrecht in die Herzgrube traf. Er lauschte hingerissen, und nun drangen auch die Worte in sein Bewußtsein:

«Wanderer im Weltgetriebe,
ziellos in der Zeit sind wir.
Nur durch selbstlos reine Liebe
kommst du an im Jetzt und Hier.
Seele, mache dich bereit:
Jetzt und Hier ist Ewigkeit!»

Danach trat sie zurück und war seinen Blicken entschwunden. Die Orgel brauste von neuem und variierte das Thema. Auf der anderen Seite, am Altar, wurde wieder das Tabernakel geöffnet, und Stöße von Geldbündeln fielen heraus.

«Zehntausendfünfhundertachtzehn . . .», dröhnte der Lautsprecher, «zehntausendfünfhundertsiebzehn . . .»

Ein Bettelweib mit einer Kiepe voller Geldscheine stellte im Vorüberdrängen die Spitze einer ihrer Krücken auf den Fuß des Feuerwehrmannes und weckte ihn aus seiner Verzauberung. Er schaute sich nach der Reisetasche der Sängerin um, die sie ihm in Obhut gegeben hatte, und mußte zu seinem Schrecken feststellen, daß sie verschwunden war. Er drängte sich durch die Menge des Lumpengesindels, suchte und spähte umher, konnte sie aber nirgends entdecken. Offensichtlich war sie gestohlen worden, während er dem Gesang gelauscht hatte, vielleicht auch schon früher, als er von dem Bauchladenmann ins Gespräch verwickelt worden war. Er verfluchte sich wegen seiner Unaufmerksamkeit. Jedenfalls mußte er der jungen Frau sofort Bescheid geben.

Er warf sich in die schreiende Masse des Gelichters, wurde von einem Mahlstrom erfaßt und mitgerissen und landete schließlich, rudernd und um sich stoßend, am Fuß der Treppe, die zur Empore führte. Als er versuchte hinaufzusteigen, wurde er von ein paar verschlagen aussehenden Burschen überwältigt, die ihm, ehe er noch recht begriffen hatte, was geschah, die Arme auf den Rücken drehten.

«Bist du Aktionär?» fragte einer.

Der Feuerwehrmann schüttelte den Kopf.

«Was willst du dann hier?»

«Ich muß der Sängerin etwas sagen. Es ist dringend. Lassen Sie mich gefälligst los!»

Die Burschen wechselten Blicke, dann schoben sie ihn vor sich her die Treppe hinauf. Auch hier waren wie überall Kerzen aufgestellt, sogar auf dem Geländer und auf den Stufen.

Oben am Orgeltisch saß ein mächtiger Mann

mit nacktem, schweißnassem Oberkörper vor der Tastatur. Sein langes, graues Haar und sein Bart waren ein verfilztes, fettiges Gestrüpp, sogar auf den Schultern und dem Rücken wuchs ihm ein borstiges Fell. Rittlings auf seinem Schoß, die Arme um seinen Nacken geklammert, saß die junge Frau. Ihre schwarze Kutte war bis zur Hüfte hochgerafft, darunter war sie nackt. Ihr Gesicht war von Schweiß und Tränen überströmt. Sie hielt die Augen geschlossen, den Mund wie zu einem unhörbaren Schrei aufgerissen, während er mit weitausholenden Bewegungen seiner Arme und Beine das Instrument bearbeitete. Die Töne ließen die ganze Empore vibrieren.

Die Kerle stießen den Feuerwehrmann weiter, so nahe an das Paar heran, daß sein Gesicht fast das ihre berührte. Jetzt hörte er, daß die beiden schreiend miteinander sprachen.

«Ist es schon dunkel?»

«Noch nicht, Liebster.»

«Sobald es dunkel ist, hauen wir ab.»

«Ja, Liebster.»

«Mach dir keine Sorgen, Kleine. Wir kommen hier 'raus, ich hab dir's versprochen. Ich bin bis jetzt noch überall 'rausgekommen. Jedenfalls der größte Teil von mir. Im Dunkeln bin ich im Vorteil.»

«Es wird nie dunkel werden!» schrie sie, «das wird nie aufhören! Wir werden nie ankommen!»

«Entschuldigung!» rief der Feuerwehrmann,

«ich . . . ich möchte nicht stören, tut mir leid. Es ist nur wegen Ihrer Tasche. Sie ist leider gestohlen worden.»

«Na und?» antwortete die junge Frau, ohne die Augen zu öffnen, «ich wäre nur froh, wenn ich sie los wäre. Deswegen habe ich sie Ihnen ja in Obhut gegeben. Aber es wird mir nichts helfen. Sie kehrt immer wieder zu mir zurück. Ich habe schon alles versucht.»

Der Mann brach das Orgelspiel ab. Langsam wendete er den Kopf und fragte: «Mit wem redest du, Kleine? Wer ist da?»

«Ich weiß nicht», antwortete sie, noch immer mit geschlossenen Augen, «irgendwer.»

Der Feuerwehrmann sah das Gesicht des Organisten und erschrak. Beide Augenhöhlen waren leer, das Nasenbein eingeschlagen. Die Narbe einer fürchterlichen Wunde teilte das Gesicht quer in zwei Hälften.

«Sag ihm, er soll verschwinden», sagte der Mann, «und zwar sofort.»

«Ja, natürlich», stammelte der Feuerwehrmann verwirrt, «ich dachte nur . . . wegen der Tasche . . . vielleicht müßte man eine Anzeige . . . sicherlich ist doch allerhand drin . . . ich meine, wertvolle Dinge.»

Die Frau sprach weiterhin mit geschlossenen Augen. «Sie haben's doch ticken gehört, nicht wahr?»

«Ja ja», antwortete er, «den Wecker.»

Sie schüttelte langsam den Kopf. «Eine Bombe. Was Sie da für mich herumgeschleppt haben, ist eine Bombe mit Zeitzünder. Sonst ist nichts in der Tasche.»

Der Feuerwehrmann schluckte ein paar Mal, ehe er die Sprache wiederfand.

«Aber... aber sowas trägt man doch nicht stundenlang mit sich herum!»

«Stundenlang?» wiederholte sie, und der Blinde lachte tonlos. «Sie sind wirklich ein echter Feuerwehrmann! Ich habe Ihnen doch gesagt: Sie kehrt immer zu mir zurück. Seit Jahren! Ich kann machen, was ich will. Manchmal war ich schon so erschöpft, daß ich...»

«Aber um Gottes willen!» Die Stimme des Feuerwehrmannes überschlug sich. «Die Bombe kann doch jeden Augenblick explodieren!»

«Richtig», sagte sie.

«Und all diese Leute hier! Man muß das Ding sofort entschärfen!»

«Versuchen Sie's», sagte sie. «Um die Bombe zu entschärfen, muß man die Tasche öffnen. Und wenn man sie öffnet, explodiert sie.»

«Dann muß man sie eben wegschaffen!»

«Suchen Sie sie nur!» antwortete die Frau. «Sie werden sehen, es hilft nichts, sich den Kopf darüber zu zerbrechen. Man kann nur warten, bis es soweit ist.»

Jetzt öffnete sie zum ersten Mal die Augen, die vom Weinen verschwollen waren.

«Übrigens«, setzte sie leise hinzu, «sie war nicht für hier bestimmt, nicht für die Zwischenstation.»

Noch während sie das sagte, ließ sich der Mann mit ihr von der Bank fallen, und beide wälzten sich auf dem Boden hin und her. Sie umklammerte seine Hüften mit ihren Beinen und schrie mit verdrehten Augen: «Ich will ankommen! Verstehen Sie denn nicht, ich will endlich ankommen! Sonst will ich nichts, nur ankommen!»

In ihrer Raserei stießen sie einige Leuchter um, die Kerzen rollten über den wachsbespritzten Papiergeldboden, der sofort an mehreren Stellen zu brennen begann. Der Feuerwehrmann riß sich die Jacke vom Leib und schlug damit auf die Flammen ein, doch dadurch tränkte sich auch die Jacke mit flüssigem Wachs und fing ebenfalls Feuer. Nur mit größter Mühe gelang es ihm, den Brand zu ersticken. Als er sich aufatmend umsah, fand er sich allein auf der Empore. Mißmutig betrachtete er seine Jacke, die ruiniert und an mehreren Stellen angekohlt war. «Eigentlich», brummte er, «wollte ich hier ja nur umsteigen.»

«Achttausendneunhundertsiebenundzwanzig ...» dröhnte der Lautsprecher, «achttausendneunhundertsechsundzwanzig ... achttausendneunhundertfünfundzwanzig ...»

Auf der anderen Seite, am Altar, war die *Wunderbare Geldvermehrung* inzwischen unbeeinträchtigt weitergegangen. Niemand aus der Menge des Bettelvolks hatte den Vorgängen auf der Empore Beachtung geschenkt. Auf einer Kanzel zur Linken des Altars stand jetzt ein ausgemergelter Greis. Eine ungeheure Hakennase in seinem Gesicht gab ihm das Aussehen eines Geiers. Er hatte sich eine Art Mitra aus Papier auf den Kopf gesetzt und predigte mit weitausholenden Armbewegungen.

«Mysterium aller Mysterien – und selig ist, wer daran teil hat! Geld ist Wahrheit und die einzige Wahrheit. Alle müssen daran glauben! Und euer Glaube sei unverbrüchlich und blindlings! Erst euer Glaube macht es zu dem, was es ist! Denn auch das Wahre ist eine Ware und untersteht dem ewigen Gesetz von Angebot und Nachfrage. Darum ist unser Gott ein eifersüchtiger Gott und duldet keine anderen Götter neben sich. Und doch hat er sich in unsere Hände gegeben und sich zur Ware gemacht, auf daß wir ihn besitzen können und seinen Segen empfangen . . .»

Die Stimme des Predigers war hoch und schrill und im allgemeinen Lärm kaum zu hören. Der Feuerwehrmann kämpfte sich durch die Menge nach vorn. Überall, wo er brennende Kerzen in seiner Reichweite fand, löschte er sie aus. Erstaunte, verstörte und wütende Blicke trafen ihn. Er kümmerte sich nicht darum. Er fuhr in seinem Tun fort, obgleich er wußte, daß es sinnlos war, denn kaum war er vorüber, wurden die Kerzen wieder entzündet. Mehr und mehr bemächtigte sich seiner ein dumpfer Zorn.

«Das Geld vermag alles!» rief der Prediger, «es verbindet die Menschen miteinander durch Geben und Nehmen, es kann alles in alles verwandeln, Geist in Stoff und Stoff in Geist, Steine macht es zu Brot und schafft Werte aus dem Nichts, es zeugt sich selbst in Ewigkeit, es ist allmächtig, es ist die Gestalt, in der Gott unter uns weilt, es ist Gott! Wo alle sich an allen bereichern, da werden am Ende alle reich! Und wo alle auf Kosten aller reich werden, da zahlt keiner die Kosten! Wunder aller Wunder! Und wenn ihr fragt, liebe Gläubige, woher kommt all dieser Reichtum? Dann sage ich euch: Er kommt aus dem zukünftigen Profit seiner selbst! Sein eigener zukünftiger Nutzen ist es, den wir jetzt schon genießen! Je mehr jetzt da ist, desto größer ist der zukünftige Profit, und je größer der zukünftige Profit, desto mehr ist wiederum jetzt da. So sind wir unsere eigenen Gläubiger und unsere eigenen Schuldner in Ewigkeit, und wir vergeben uns unsere Schulden, Amen!»

«Aufhören!» schrie der Feuerwehrmann und klomm die Treppe der Kanzel hinauf. «Schluß! Aus! Hört sofort auf! Das alles ist völlig unverantwortlich, was hier los ist. Ich untersage die Fortsetzung der Veranstaltung! Alle Anwesenden werden dringend aufgefordert, das Gebäude zu räumen. Es besteht höchste Lebensgefahr ...»

Es war plötzlich totenstill in der riesigen Schalterhalle.

«Ein Ungläubiger!» rief einer der Halunken am Altar. «Wie kommt hier ein Ungläubiger herein?»

«Haben Sie Aktien?» schrie ihn der Prediger an.

«Das ist jetzt vollkommen gleichgültig!» brüllte der Feuerwehrmann zurück, «nehmen Sie doch Vernunft an – in Ihrem eigenen Interesse!»

«Ein Ungläubiger!» heulte die Menge los, «ein Lästerer! Schlagt ihn tot!»

Ein ungeheurer Tumult brach los. Humpelnde Elendsgestalten kamen die Treppe der Kanzel herauf, Hände griffen nach dem Feuerwehrmann, würgten ihn, schlugen auf ihn ein, stießen ihn über die Kanzelbrüstung, er fiel und schlug hart auf den Boden darunter auf, Hiebe von Krücken und Stöcken hagelten auf ihn nieder, Füße traten nach ihm und stampften auf ihm herum, bis er sich nicht mehr regte.

«Sechstausenddreihundertvierzehn ...», dröhnte der Lautsprecher, «sechstausenddreihundertdreizehn ... sechstausenddreihundertzwölf ...»

Es verging eine Weile, ehe der Feuerwehrmann wieder zu sich kam und sich aufsetzen konnte. Sein Kopf schmerzte, sein linkes Auge war zugeschwollen, er blutete aus Mund und Nase. Er bemerkte, daß ihm der Helm abhanden gekommen war, Jacke und Hose waren in Fetzen gerissen. Jetzt sah er selber aus wie eine der Elendsgestalten, die wieder um ihn her drängten, aber sich nicht mehr um ihn kümmerten. Er versuchte aufzustehen, fiel aber sofort wieder auf alle viere nieder. Alles drehte sich um ihn her, und ihm wurde sterbensübel. Er erbrach sich.

Etwas später kroch er zwischen den Füßen der Menge herum und entdeckte schließlich an einer der Wände einen Beichtstuhl, der durch das herabrinnende Wachs zu einer Art Tropfsteingrotte geworden war. Mit großer Anstrengung zog er sich hinein, schloß die Tür, lehnte sich in die Ecke und verlor von neuem das Bewußtsein.

Er wußte nicht, wieviel Zeit er so gesessen hatte, als ein leises Geräusch nahe seinem Ohr ihn erwachen ließ. Der Lärm und das Geschrei draußen in der Halle war heftig wie zuvor, aber dieses Geräusch kam durch das kleine Gitter der Zwischenwand, die den Beichtstuhl in zwei Zellen teilte, und es klang wie das verzweifelte, leise Schluchzen eines Kindes. Das überraschte den Feuerwehrmann, denn Kinder hatte er bisher in der ganzen Bahnhofskathedrale nicht bemerkt. Er versuchte durch die Löcher des Gitters zu spähen, konnte aber nichts sehen. Statt dessen vernahm er aus dem Schluchzen halb geflüsterte Worte:

«Lieber Gott, wo bist du ...? Und wo ist die Welt geblieben ...? Ich kann sie nicht finden ... Sie ist nicht mehr da ... ich bin schon tot ... und bin überhaupt noch nicht zur Welt gekommen ...»

«Du, wer bist du?» fragte der Feuerwehrmann,

«ich wollte nicht zuhören, aber ich war die ganze Zeit hier. Entschuldige bitte! Ich möchte dir nur sagen: Das hier ist nur eine Zwischenstation, es gibt nämlich ... Hallo, du da drüben! Hörst du? Willst du nicht mit mir reden?»

Aber auf der anderen Seite blieb es still. Er öffnete die Tür des Beichtstuhls, um auf der anderen Seite nachzusehen, aber da war niemand. Auf dem Platz stand nur die große, schwere Reisetasche.

Das einzige, was dem Feuerwehrmann von seiner Ausrüstung noch verblieben war, war das blinkende Beil an seiner Seite. Er nahm es aus dem Halfter.

«Jetzt und hier!» sagte er laut. «Jetzt und hier!»

Mit der spitzen Rückseite des Beils zerbrach er das Schloß der Reisetasche, dann öffnete er sie langsam und mit größter Behutsamkeit. Sie war leer.

Er richtete sich auf. Kalter Schweiß rann ihm von den Schläfen über die Wangen.

«Siebenhundertachtundsechzig ...», dröhnte der Lautsprecher, «siebenhundertsiebenundsechzig ... siebenhundertsechsundsechzig ...»

Und leise, aber deutlich und unverwechselbar, war nun hinter der teilnahmslosen Stimme, die die Zahlen aufsagte, das Ticken zu hören. Es wurde immer lauter und bedrohlicher.

Der Feuerwehrmann kämpfte sich aus der Kathedralenhalle hinaus. Ein paar Mal wurde er wieder zurückgedrängt, aber nach einiger Zeit gelang es ihm doch, die Bahnsteige zu erreichen. Die Lautsprecherstimme zählte jetzt ununterbrochen, das Ticken hämmerte.

«Hundertdreiundfünfzig... hundertzweiundfünfzig... hunderteinundfünfzig... hundertfünfzig... hundertneunundvierzig...»

Als er schließlich die Stelle wieder erreichte, wo die Gleise in den leeren Raum hinausragten, fand er dort das Büßergewand liegen, das die junge Frau getragen hatte. Er hob es auf und setzte sich am äußersten Rand des Bahnsteigs nieder.

In weiter Ferne sah er, wie Abendwolken andere Inseln durch den dämmernden Raum ziehen, manche dunkel, manche erleuchtet wie die, auf der die Bahnhofskathedrale stand.

«Vielleicht ist doch ein Zug abgefahren», sagte der Feuerwehrmann in die Leere hinaus, «ich weiß nicht, wohin sie wollte, aber vielleicht ist sie inzwischen angekommen...»

Und während seine Hände über den schweren, schwarzen Stoff des zerschlissenen Kleides strichen, hörte er zu, wie das Ticken im Lautsprecher unerträglich laut wurde und die teilnahmslose Stimme die letzten Zahlen herunterzählte:

«Sieben... sechs... fünf... vier... drei... zwo... eins... null...»

SCHWERES SCHWARZES TUCH, NACH DEN Seiten und nach oben sich im Dunkeln verlierend, hängt in senkrechten Falten hernieder, die bisweilen, vom unmerklichen Luftzug bewegt, ein wenig hin und zurück wehen.

Man hatte ihm gesagt, dies sei der Vorhang der Bühne, und sobald er sich zu heben begönne, solle er unverzüglich mit seinem Tanz beginnen. Es war ihm eingeschärft worden, sich nur ja durch nichts irritieren zu lassen, denn bisweilen sähe es von hier oben so aus, als sei der Zuschauerraum nichts als ein leerer, finsterer Abgrund, bisweilen schiene es aber auch, als blicke man auf das emsige Treiben eines Marktes oder einer belebten Straße, auf ein Schulzimmer oder auch einen Friedhof hinunter, doch dies alles sei Sinnestäuschung, kurzum, er solle, ohne sich im geringsten darum zu kümmern, welchen Eindruck er habe, ob jemand ihm zusähe oder nicht, gleichzeitig mit Aufgehen des Vorhangs anfangen, sein Solo zu tanzen.

So stand er nun also, Standbein und Spielbein gekreuzt, die rechte Hand hängend, die linke locker auf die Hüfte gestützt, und erwartete den

Beginn. Von Zeit zu Zeit, wenn die Ermüdung ihn zwang, wechselte er diese Stellung, sozusagen in sein seitenverkehrtes Spiegelbild sich verwandelnd.

Noch wollte der Vorhang nicht aufgehen.

Das wenige Licht, das irgendwo aus der Höhe kam, war auf ihm versammelt, doch war es kaum stark genug, daß er die eigenen Füße sehen konnte. Der Kreis der Helligkeit, der ihn umgab, ließ ihn gerade noch das schwere, schwarze Tuch vor sich erkennen. Das war sein einziger Anhaltspunkt für die Richtung, in der er sich halten mußte, denn die Bühne lag in völligem Dunkel und war weitläufig wie eine Ebene.

Er überlegte sich, ob es wohl überhaupt Kulissen gab und was sie darstellen mochten. Für seinen Tanz waren sie nicht weiter wichtig, aber er hätte doch gern gewußt, in welcher Umgebung man ihn sehen würde. Ein Festsaal? Eine Landschaft? Gewiß würde mit Aufgehen des Vorhangs auch die Beleuchtung wechseln. Dann wäre auch diese Frage geklärt. Er stand und wartete, Standbein und Spielbein gekreuzt, die linke Hand hängend, die rechte nachlässig auf die Hüfte gestützt. Von Zeit zu Zeit, wenn die Ermüdung ihn zwang, wechselte er die Position, sich abermals in das seitenverkehrte Spiegelbild seines Spiegelbildes verwandelnd.

Er durfte sich nicht zerstreuen lassen, denn jeden Augenblick konnte der Vorhang sich heben. Dann mußte er mit Leib und Seele präsent sein. Sein Tanz begann mit einem mächtigen Paukenschlag und einem wirbelnden Furioso von Sprüngen. Wenn er den Einsatz versäumte, war alles verloren, er würde den verpaßten Takt nie wieder einholen. In Gedanken ging er noch einmal alle Schritte durch, die Pirouetten, Entrechats, Jettées und Arabesques.

Er war zufrieden, alles war ihm gegenwärtig. Er war sicher, daß er gut sein würde. Er hörte schon den Applaus aufbranden wie goldenes Meeresrauschen. Auch das Remercieren nahm er noch einmal durch, denn es war wichtig. Wer es gut machte, konnte damit bisweilen den Beifall beträchtlich verlängern. Während er das alles bedachte, stand er und wartete, Standbein und Spielbein gekreuzt, die rechte Hand hängend, die linke leicht auf die Hüfte gestützt. Von Zeit zu Zeit, wenn die zunehmende Ermüdung ihn zwang, wechselte er die Haltung, sich von neuem in das seitenverkehrte Spiegelbild seines gespiegelten Spiegelbildes verwandelnd.

Der Vorhang hob sich noch immer nicht, und er fragte sich, was die Ursache dafür sein mochte. Hatte man vielleicht vergessen, daß er schon hier auf der Bühne stand, bereit zum Beginn? Suchte man ihn womöglich in seiner Garderobe, in der Kantine des Theaters oder gar zu Hause, suchte händeringend und verzweifelt? Sollte er sich vielleicht bemerkbar machen ins Dunkel der Bühne hinein, rufen oder winken? Oder suchte man ihn überhaupt nicht, sondern war die Vorstellung aus irgendeinem Grund verschoben worden? Fiel sie am Ende ganz aus, ohne daß man ihm davon Mitteilung gemacht hatte? Vielleicht waren alle längst schon fortgegangen, ohne sich daran zu erinnern, daß er hier stand und auf seinen Auftritt wartete. Wie lange stand er denn schon hier? Wer hatte ihm überhaupt diesen Platz zugewiesen? Wer hatte ihm denn gesagt, daß dies der Vorhang sei und daß er, sobald dieser aufgezogen werde, mit seinem Tanz beginnen solle? Er begann nachzurechnen, wie oft er sich wohl schon in sein Spiegelbild und das Spiegelbild seines Spiegelbildes verwandelt haben mochte, untersagte es sich aber sogleich wieder, um nicht etwa vom plötzlichen Aufgehen des Vorhanges überrascht zu werden und verwirrt, seines Parts nicht mehr inne, hilflos ins Publikum zu starren. Nein, er mußte ruhig und konzentriert bleiben!

Aber der Vorhang regte sich nicht.

Nach und nach wich seine anfängliche glückliche Erregung einer tiefen Erbitterung. Er hatte das Gefühl, daß Schindluder mit ihm getrieben wurde. Er wäre am liebsten von der Bühne gerannt, um sich irgendwo lautstark zu beschweren, um seine Enttäuschung, seine Wut jemand ins Gesicht zu schreien, um Krach zu machen. Aber er war sich nicht sicher, wohin er laufen mußte. Das Wenige, was er von dem schwarzen Tuch vor sich sah, war ja seine einzige Orientierung. Wenn er diesen seinen Platz verließ, würde er in der Dunkelheit herumtappen und unfehlbar jede Orientierung verlieren. Und es konnte sehr gut geschehen, daß gerade in diesem Augenblick der Vorhang aufgezogen würde und der Paukenschlag des Beginns ertönte. Und er stünde dann am völlig falschen Platz, die Hände wie ein Blinder vorgestreckt, womöglich den Rücken zum Publikum. Unmöglich! Ihm wurde heiß vor Scham bei dieser Vorstellung. Nein, nein, er mußte unbedingt bleiben, wo er war, wohl oder übel, und abwarten, ob und wann man ihm ein Zeichen geben würde. Er stand also, Standbein und Spielbein gekreuzt, die linke Hand schlaff hängend, die rechte schwer auf die Hüfte gestützt. Von Zeit zu Zeit, wenn die Erschöpfung ihn zwang, wechselte er die Pose, sich zum wer weiß wievielten Male in sein Spiegelbild verwandelnd.

Irgendwann gab er den Glauben daran auf, daß der Vorhang sich je öffnen würde, wußte aber zugleich, daß er seinen Platz nicht verlassen konnte, da ja die Möglichkeit, daß er sich wider alle Erwartung doch noch öffnete, nicht auszuschließen war. Er hatte es längst aufgegeben, zu hoffen oder sich zu ärgern. Er konnte nur stehen bleiben, wo er stand, was auch immer geschehen oder nicht geschehen mochte. Ihm lag nichts mehr an seinem Auftritt, ob dieser nun ein Erfolg oder ein Fiasco werden würde oder auch gar nicht stattfinden sollte. Und da ihm sein Tanz nichts mehr bedeutete, vergaß er einen um den anderen alle Schritte und Sprünge. Er vergaß über dem Warten schließlich sogar, warum er wartete. Aber er blieb stehen, Standbein und Spielbein gekreuzt, vor sich das schwere schwarze Tuch, das sich nach oben und nach den Seiten im Dunkeln verlor.

Die Dame schob den schwarzen Vorhang ihres Kutschenfensters beiseite und fragte:

«Warum fährst du nicht schneller? Du weißt, was für mich davon abhängt, rechtzeitig beim Fest zu sein!»

Der einbeinige Kutscher beugte sich von seinem Bock zu ihr herunter und antwortete:

«Wir sind in einen Konvoi geraten, Madame. Ich weiß auch nicht wie. Ich habe wohl ein bißchen geduselt. Jedenfalls sind da plötzlich diese Leute, die uns die Straße verstopfen.»

Die Dame lehnte sich aus dem Fenster. Tatsächlich war die Landstraße von einem langen Zug von Menschen erfüllt. Es waren Kinder und Alte, Männer und Weiber, alle in abenteuerlichen buntscheckigen Gauklerkostümen, phantastische Hüte auf den Köpfen, große Packen auf den Rücken. Manche ritten auf Maultieren, andere auf großen Hunden oder Straußenvögeln. Dazwischen rumpelten auch zweirädrige Karren, hoch mit Kisten und Koffern bepackt, oder Planwagen, in denen Familien saßen.

«Wer seid ihr?» fragte die Dame einen Jungen im Harlekinskleid, der neben ihrer Kutsche herging. Er hatte eine Stange über der Schulter, deren anderes Ende von einem mandeläugigen Mädchen in chinesischer Tracht getragen wurde. An der Stange hing allerhand Hausrat, auf ihr saß ein kleiner frierender Affe. «Seid ihr ein Zirkus?»

«Wir wissen nicht, wer wir sind», sagte der Junge. «Ein Zirkus sind wir nicht.»

«Woher kommt ihr denn?» wollte die Dame wissen.

«Aus dem Himmelsgebirge», erwiderte der Junge, «aber das ist schon lange her.»

«Und was habt ihr dort gemacht?»

«Das war, ehe ich auf der Welt war. Ich bin unterwegs geboren.»

Jetzt mischte sich ein alter Mann ins Gespräch, der eine große Laute oder Teorbe auf dem Rükken trug.

«Dort haben wir das *Ununterbrochene Schauspiel* aufgeführt, schöne Dame. Das Kind kann es nicht mehr wissen. Es war ein Schauspiel für die Sonne, den Mond und die Sterne. Jeder von uns stand auf einem anderen Berggipfel, und wir riefen uns die Worte zu. Es wurde unaufhörlich gespielt, denn dieses Schauspiel hielt die Welt zusammen. Aber jetzt haben es auch die meisten von uns schon vergessen. Es ist schon zu lange her.»

«Warum habt ihr aufgehört, es zu spielen?»

«Es war ein großes Unglück geschehen, schöne Dame. Eines Tages bemerkten wir, daß uns ein Wort fehlte. Niemand hatte es uns geraubt, wir

hatten es auch nicht vergessen. Es war einfach nicht mehr da. Aber ohne dieses Wort konnten wir nicht weiterspielen, weil alles keinen Sinn mehr ergab. Es war das eine Wort, durch das alles mit allem zusammenhängt. Verstehen Sie, schöne Dame? Seither sind wir unterwegs, um es von neuem zu finden.»

«Durch das alles mit allem zusammenhängt?» fragte die Dame erstaunt.

«Ja», sagte der Alte und nickte ernsthaft, «auch Sie werden doch gewiß schon bemerkt haben, schöne Dame, daß die Welt nur noch aus Bruchstücken besteht, von denen keines mehr mit dem anderen etwas zu tun hat. Das ist so, seit uns das Wort abhanden gekommen ist. Und das Schlimmste ist, daß die Bruchstücke immer weiter zerfallen und immer weniger übrig bleibt, was miteinander zusammenhängt. Wenn wir das Wort nicht finden, das alles wieder mit allem verbindet, dann wird die Welt eines Tages ganz und gar zerstäuben. Darum sind wir unterwegs und suchen es.»

«Glaubt ihr denn daran, es wirklich eines Tages zu finden?»

Der Alte antwortete nicht, sondern beschleunigte seine Schritte und überholte. Das Mädchen mit den Mandelaugen, das jetzt neben dem Fenster der Dame ging, erklärte schüchtern:

«Wir schreiben das Wort mit dem langen Weg, den wir gehen, auf die Oberfläche der Erde. Darum bleiben wir nirgends.»

«Ah», sagte die Dame, «dann wißt ihr also immer, wohin ihr gehen müßt?»

«Nein, wir lassen uns führen.»

«Und wer oder was führt euch?»

«Das Wort», antwortete das Mädchen und lächelte, als wolle es um Entschuldigung bitten.

Die Dame blickte das Kind lange von der Seite an, dann fragte sie leise:

«Kann ich mit euch gehen?»

Das Mädchen schwieg und lächelte und überholte langsam, dem Knaben vor sich folgend, die Kutsche.

«Halt!» rief die Dame ihrem Kutscher zu. Der zügelte die Pferde, wandte sich zurück und fragte:

«Wollen Sie wirklich mit denen da gehen, Madame?»

Die Dame saß stumm und aufrecht in den Polstern und blickte geradeaus vor sich hin. Nach und nach zog der ganze Rest der Truppe an der stehenden Kutsche vorüber. Als der letzte Nachzügler vorbei war, stieg die Dame aus und blickte dem Zug nach, bis er in der Ferne verschwunden war. Es begann, ein wenig zu regnen.

«Kehren wir um!» rief sie dem Kutscher zu, während sie wieder einstieg, «wir fahren zurück. Ich habe mich anders entschieden.»

«Gott sei Dank!» sagte der Einbeinige, «ich dachte schon, Sie wollten wirklich mit denen gehen.»

«Nein», antwortete die Dame gedankenverloren, «ich würde ihnen nicht von Nutzen sein. Aber du und ich, wir können bezeugen, daß es sie gibt und daß wir sie gesehen haben.»

Der Kutscher ließ die Pferde wenden.

«Darf ich etwas fragen, Madame?»

«Was willst du?»

«Glauben Madame daran, daß die dieses Wort irgendwann finden?»

«Wenn sie es finden», antwortete die Dame, «dann müßte die Welt sich von einer Stunde zur anderen verwandeln. Glaubst du nicht? Wer weiß, vielleicht werden wir irgendwann Zeuge auch dessen werden. Und jetzt fahr los!»

Der Zeuge gibt an, er habe sich auf einer nächtlichen Wiese befunden, einer Waldlichtung wahrscheinlich, denn sie sei von hohen Bäumen umstanden gewesen, doch habe er das wegen der herrschenden Dunkelheit nicht mit Gewißheit ausmachen können.

Rings um das Feld seien in großem Kreis Menschen in langen hemdartigen, weißen Kleidern gestanden. Einige unter diesen Leuten hätten Fackeln, die übrigen Sensen, Hacken und Äxte in den Händen gehalten.

Nach einer langen, erwartungsvollen Stille habe schließlich eine laute Stimme den Befehl erteilt: «Die, welche Lichter tragen, tötet!» Darauf seien die Bewaffneten schweigend über die Fackelträger hergefallen, die weder Anstalten gemacht hätten zu fliehen, noch sich zu wehren, sondern ebenfalls schweigend stehen geblieben seien.

Ein grausames Gemetzel habe begonnen, doch sei nichts zu hören gewesen als nah und fern immer von neuem das schreckliche dumpfe Geräusch, das die Beile und Hacken beim Eindringen in die Leiber der Wehrlosen verursacht hätten.

Eine nach der anderen seien die Fackeln im Blut ihrer Träger erloschen, und Finsternis habe sich ausgebreitet.

Bald darauf habe sich ein heftiger Wind erhoben, der die schwarze Wolkendecke vor dem fahl aufdämmernden Himmel zerfetzte. Das große Feld sei von Leibern bedeckt gewesen. Dieselbe laute Stimme, die den Befehl zur Tötung der Fackelträger gegeben, habe nunmehr die Mörder aufgefordert, ihre Kleider in das Blut der Getöteten zu tauchen.

Auch an ihn, den Zeugen, sei diese Aufforderung ergangen, doch gibt er vor, sich nicht mehr erinnern zu können, ob er ihr nachgekommen sei oder nicht.

Immerhin entsinnt er sich noch, schließlich ganz allein (vielleicht als Letzter?) unter all den Erschlagenen gestanden zu haben. Dabei will er gespürt haben, wie sein Kleid von unten her aufsteigend naß und rot und immer schwerer geworden sei von Blut.

Dann habe er im Sausen des Windes, gleichsam als ob es sich dabei um Windstöße gehandelt habe, eine andere, qualvoll gepreßte Stimme vernommen, die stöhnend etwas wie «Weh! Weh!» gerufen habe, doch sei er fast sicher, daß es nicht diese Worte gewesen seien, sondern eher «Seht! Seht!»

Darauf habe er zum Himmel aufgeblickt und in der Dunkelheit ein Seil ausmachen können, welches quer über das ganze Feld gespannt gewesen

sei und an welchem eine menschliche Gestalt in gekreuzigter Haltung gehangen habe.

Wie der Zeuge hinzufügt, könne er jedoch nicht mit Sicherheit sagen, ob diese Gestalt nur an das durchgehende Seil festgebunden gewesen sei oder ob es sich um zwei getrennte Seilstücke gehandelt habe, jeweils am linken und rechten Handgelenk der Gestalt festgeknotet, und so die Gestalt selbst als Verbindungsstück ausgespannt gewesen sei. Das festzustellen sei es, wie der Zeuge versichert, zu dunkel gewesen.

DER MARMORBLEICHE ENGEL SASS UNTER den Zuhörern im Gerichtssaal als Zeuge der Verhandlung. Er hatte in der ersten Reihe rechts unter dem großen Fenster Platz genommen. Seine enormen Schwingen ragten nach hinten über die Lehne seines Sitzes und beanspruchten noch die beiden Plätze in seinem Rücken. Da er gut zwei Köpfe größer war als die übrigen Zuhörer, behinderte er viele in der Sicht, doch keiner beschwerte sich darüber. Niemand schien ihn zu bemerken. Im Gegenteil, ein sehr dickes Weib mit erdbraunem Gesicht lehnte sich immer wieder schnarchend gegen ihn, als sei er eine Säule. Obgleich seine beengte Position ihm zweifellos Pein verursachen mußte, war seinem vollkommen statuenhaften, strengen Gesicht keine Gemütsbewegung anzusehen. Er saß aufrecht und reglos, alles an ihm schien aus weißem Stein. Im ganzen erweckte er den Eindruck einer übergroßen Friedhofsplastik. Nur seine weltraumdunklen Augen verfolgten mit ruhiger Sammlung alles, was vorging.

Der Saal, in dem die Verhandlung stattfand, war sehr groß. Nach hinten stiegen die Sitzreihen im Halbrund geschwungen an und verschwammen droben in ungewissem Dämmerlicht. Ein vielstimmiges leises Murmeln, Husten, Flüstern erfüllte die Luft. Die Reihen waren dicht besetzt, und die Gesichter der Menge, zahllose weiße Flecken, schwankten beständig hin und her wie ein Schilfmeer im Wind.

Anstelle des Richtertisches war an der Stirnseite des Saales ein rohes Balkengerüst von etwa vier Metern Höhe errichtet worden. Eine Treppe aus zusammengenagelten Brettern führte zu einer geländerlosen Plattform hinauf, auf welcher nur ein kleiner Tisch, dahinter ein Stuhl stand.

Rechts und links von diesem Gerüst, aber ein wenig nach vorn versetzt, erhoben sich zwei schmale, ebenfalls ohne Sorgfalt zusammengezimmerte Türme aus Brettern und Balken, die jeweils in Rednerkanzeln gipfelten. Zwischen diesen Türmen verlief gleichsam als Verbindungsstück eine lange, niedrige Holzbank.

Alles war für die Verhandlung bereit, aber noch ließ der Beginn auf sich warten. Das Publikum schien sich indessen nicht weiter zu beunruhigen, ja, es konnte fast scheinen, als interessiere es sich kaum für das, was dort vorne geschehen sollte. Jeder war viel zu sehr ins geraunte Gespräch mit seinem Nachbarn vertieft. Nur der Engel hielt den übergroßen Blick mit der unverbrüchlichen Aufmerksamkeit seiner Artgenossen auf den noch leeren Schauplatz geheftet, als sähe er jetzt schon, was kommen würde.

Endlich öffnete sich eine kleine Tür in der Stirnwand links neben dem Balkengerüst, und herein marschierten einer hinter dem anderen zehn, zwölf Männer und Frauen in apfelgrünen Kitteln mit kurzen Ärmeln, Käppchen von der gleichen Farbe auf den Köpfen. Manche hatten weiße Binden vor Mund und Nase, alle trugen Gummihandschuhe. Sie stellten sich in einer Reihe vor die Bank zwischen den beiden Holztürmen, dann, als sie vollzählig waren, setzten sie sich gleichzeitig nieder. Einige unter ihnen flüsterten den Nebensitzenden etwas zu, diese gaben die Botschaft weiter, und schließlich wandten alle ihre Blicke auf den Engel. Der starrte sie reglos wie aus weiter Ferne an, und einer nach dem anderen senkten sie die Gesichter.

Plötzlich schrillte ohrenbetäubend eine elektrische Klingel, was jedoch von der Menge der Zuschauer kaum zur Kenntnis genommen wurde. Das allgemeine Gemurmel, Geflüster und Gehuste ging unvermindert weiter. Dann wurde die Tür nochmals aufgerissen, und herein stürmten zwei Personen in wehenden, schwarzen Talaren. Eine davon war eine Frau mit kurzgeschnittenen graumelierten Haaren und einem leichten Schnurrbartanflug, die andere ein untersetzter, rotgesichtiger Mann mit spiegelnder Glatze. Blitzschnell, als ginge es auf einmal um jede Sekunde, kletterten sie die beiden Türme zur Linken und Rechten empor und bezogen Stellung in den Rednerkanzeln, wo sie wild in allerlei Papieren zu blättern begannen. Dazwischen warfen sie sich hin und wieder kampfbereite Blicke zu. Einmal spähte die Frau in die Menge der Zuschauer, bis sie den Engel entdeckte. Sie nickte ihm verheißungsvoll zu, hob beide Hände, legte die Daumen ein und drückte sie. Der Engel gab kein Zeichen des Erkennens oder Verstehens. Der Glatzkopf bemerkte die Geste seiner Kollegin und suchte seinerseits im Publikum die Person, der sie gegolten hatte. Als er den Engel sah, zog er unwillig die Brauen zusammen, schüttelte den Kopf und wühlte dann wieder in seinen Akten.

Noch einmal schrillte die entsetzliche Klingel. Die kleine Tür öffnete sich, und herein schob sich eine monströse Gestalt, langsam und mit kleinen ruckartigen Schrittchen. Sie war derartig ausstaffiert, daß sie nur seitwärts, und auch das nicht ohne Umstände, durch die Öffnung kommen konnte. Sie trug eine Art von zinnoberrotem Kimono, der allenthalben mit gestärkten Draperien versehen war. Die Füße blieben unsichtbar, da das Gewand nicht nur bis zum Boden reichte, sondern noch meterlang nachschleifte. Die ungewöhnliche Größe der Gestalt, wie auch die unsichere Art des Ganges, ließen darauf schließen, daß sie auf hohen Koturnen stand. Haupt und Gesicht waren von einem bienenkorbartigen rotlackierten Weidengeflecht verhüllt. Sichtbar waren nur die Hände, die klein und weiß und mit gespreizten Fingern aus den Stoffmassen hervorragten und lange, spitze Nägel hatten.

Mit drohender Würde wankte die Gestalt vorwärts und drehte sich suchend um sich selbst. Offenbar konnte sie nichts sehen. Einige der Personen in apfelgrünen Kitteln sprangen auf, eilten hinzu und geleiteten die Gestalt ehrerbietig zu dem mittleren Gerüst. Auch die anderen hatten sich erhoben, und sogar die schnurrbärtige Frau und der Glatzkopf in ihren Rednerkanzeln beobachteten mit Respekt, wie die Gestalt nun unendlich langsam die improvisierte Treppe zur Plattform hinaufklomm. Dort angelangt, ließ sie sich gravitätisch auf den Stuhl hinter dem kleinen Tisch nieder, hob das Korbgeflecht von ihren Schultern und stellte es neben sich auf den Boden. Das Gesicht, das zum Vorschein kam, war kalkweiß, der Kopf von einer ungeheuren grauen Mähne umgeben. Gerade wegen der gewaltigen Aufmachung wirkte das Gesicht merkwürdig klein und puppenhaft. Es starrte ausdruckslos vor sich hin.

Die Leute in den grünen Kitteln setzten sich wieder. Die Frau im schwarzen Talar machte eine kleine Verbeugung gegen die Gestalt auf der Plattform und begann zu sprechen. Ihre Stimme war tief und ein wenig heiser und deshalb im allgemeinen Gemurmel des Auditoriums nur schwer zu hören.

«Es handelt sich um den Antrag dreiundsiebzig

Strich achthundertneun römisch fünf Ypsilon einundneunzig. Die bis jetzt noch namenlose Person bittet um die Genehmigung, sich verkörpern zu dürfen. Wie aus den beigefügten Unterlagen hervorgeht, gibt es keinen Grund, ihr diese Genehmigung zu verweigern. Ich ersuche also das hohe Gericht um einen positiven Entscheid.»

«Ich halte Ihnen vor», rief der Glatzköpfige in der anderen Kanzel mit einer überraschend hohen, schneidenden Stimme und schwenkte dabei ein Schriftstück hin und her, «daß die namenlose Person nach diesen offiziellen Sachverständigengutachten bereits ohne jede Genehmigung ihre Verkörperung eingeleitet hat. Schon allein damit verstößt sie gegen den Paragraphen siebenhundertzwölf Absatz drei der Zulassungsregelung. Solche vollendeten Tatsachen werden geschaffen, um das Gericht zu beeinflussen und die übrigen Beteiligten zu erpressen. Das hohe Gericht wird sich davon nicht beeindrucken lassen und den ungerechtfertigten Antrag zurückweisen.»

«Es ist allerdings richtig», erwiderte die Frau, «und übrigens von unserer Seite auch niemals bestritten worden, daß die ersten Schritte der Verkörperung bereits eingeleitet wurden. Wie wir aber in unserer Begründung ausführlich dargelegt haben, ging der Antragsteller dabei von der Voraussetzung aus, daß das hohe Gericht die absolute Notwendigkeit der Einhaltung eines bestimmten Zeitpunktes der Verkörperung erkennen wolle.

Es ist ja ganz klar, daß gewisse Bedingungen nur zu einem gewissen Zeitpunkt vorhanden sind. Ein Vorwegnehmen oder Verzögern der Verkörperung würde zu völlig anderen Bedingungen führen und damit den ganzen Sinn der Verkörperung vereiteln oder zumindest aufs Höchste gefährden. Das aber würde eine völlig ungerechtfertigte Benachteiligung des Antragstellers bedeuten, die dem Anspruch auf Gleichheit nicht gerecht wird. Das hohe Gericht kann sich schließlich nicht selbst eines Vergehens schuldig machen, das es an anderen zu ahnden verpflichtet ist. Wir bleiben also bei unserem Antrag und erwarten einen positiven Entscheid.»

«Unsinn!» fiel ihr der Glatzköpfige ins Wort. «Ein Zeitpunkt ist so gut wie ein anderer! Andernfalls wäre ja eine Bevorzugung oder Benachteiligung aller Antragsteller sozusagen naturgegeben. Die Bedingungen, von denen die verehrte Kollegin da redet, sind zwar zweifellos vorhanden, aber in ihrem positiven oder negativen Wert für den Sich-Verkörpernden niemals vorweg erkennbar. Mit anderen Worten: Ob der Augenblick einer Verkörperung für eine Person günstig oder ungünstig ist, kann sich immer erst nachträglich zeigen – oft sogar erst nach dem Ende der Verkörperung. Wir wollen doch hier keinem falschen Mystizismus huldigen! Wo kämen wir hin, wenn wir die Verkörperung sozusagen kosmisch programmieren wollten! Das ist einfach lächerlich!»

«Lächerlich», rief die Frau, die sich nun auch langsam erhitzte, «ist Ihre mechanistische und materialistische Denkweise, Herr Kollege! Lächerlich und – schlimmer noch – zynisch! Denn Ihr Zufallsprinzip widerspricht der menschlichen Würde! Der Mensch ist kein Kaninchen! Das Wesen des Menschen liegt in seinem Schicksal! Es ist einmalig und hängt deshalb von einmaligen Bedingungen ab! Deshalb ist es ebenso verbrecherisch, eine Verkörperung zu vereiteln, wie eine schon bestehende zu vernichten. Es ist Mord, Herr Kollege! Mein Mandant hat seine Verkörperung seit Jahrhunderten vorbereitet. Er hat seine Urgroßeltern zusammengeführt und seine Großeltern und nun seine unmittelbaren Erzeuger. Eine unvorstellbare Leistung an Genauigkeit in allen Einzelheiten war dazu notwendig! Wenn sein Urgroßvater sich nicht an jenem bestimmten Tag einen Zahn hätte ziehen lassen, so wäre er der entsprechenden weiblichen Person nicht begegnet, die nur auf der Durchreise bei jenem Dorfbader einkehrte, um sich ein Pflaster für ihre wundgelaufene Ferse zu besorgen. Wären sie sich nicht begegnet, so hätten sie nicht geheiratet und Kinder gezeugt, Kinder, unter denen wiederum ein Mädchen war, das die Großmutter des jetzigen Antragstellers wurde – oder werden soll. Tausende, Millionen solcher Einzelheiten wären hier aufzuzählen. Und Sie wollen dieses Wunderwerk an Kausalität vernichten? Sie wollen dem Antragsteller im letzten Augenblick die Tür vor der Nase zuschlagen? Sie wollen ihn zwingen, diese ganze mühevolle Arbeit wieder von vorn zu beginnen? Mit welchem Recht? Und selbst wenn er die Arbeit von neuem beginnt, ihr Ergebnis kann und wird nie wieder das sein können, was es jetzt ist. Mein Mandant wird der Welt vielleicht etwas zu geben haben, was er nur jetzt und nur unter den gegebenen Bedingungen kann. Denken Sie an die großen Heiligen, die Genies, die Heroen unserer Geschichte! Was wäre aus der Welt geworden, wenn man auch nur einem einzigen von ihnen das Recht zur Verkörperung verweigert hätte? Wie wollen Sie das verantworten?»

«Und wer sagt Ihnen, verehrte Frau Kollegin», schrie der Glatzkopf rot im Gesicht zurück, «daß nicht gerade Ihr Mandant einer der größten Verbrecher aller Zeiten, ein Fluch für die Menschheit werden wird? Wäre es da nicht besser, ihm das Recht auf Verkörperung zu verweigern? Was Sie da vorbringen, sind doch alles haltlose Hypothesen! Wann und unter welchen Bedingungen eine Person sich verkörpert, ist so zufällig wie die Lage der Karten in einem Spiel. Sie sprechen von Verantwortung! Sie sprechen von Menschenwürde! Als ob uns nicht viel mehr als Ihnen darum zu tun wäre! Gerade das, was Sie vortragen, verehrte Frau Kollegin, führt uns in letzter Konsequenz zur vollkommenen Verantwortungslosigkeit, weil es uns jede vernünftige Entscheidung unmöglich macht. Wo alles auf geheimnisvolle Art sinnvoll ist, sogar der gezogene Zahn eines Urgroßvaters, da ist eben nichts mehr sinnvoll, da ist auf fatale Art alles gleich-gültig! Sie wissen und wir alle wissen, daß es schon längst viel zu viele Menschen auf unserer Welt gibt. Es wäre wahrhaftig verantwortungslos, jeden Antrag auf Verkörperung wahllos zuzulassen. Damit würden wir das Gegenteil von dem erreichen, was Sie, Frau Kollegin, so eindrucksvoll postuliert haben: den Schutz der menschlichen Würde! Wir haben die Verantwortung, weil wir die Mittel einzugreifen haben. Dieser Verantwortung können wir uns nicht mit ein paar frommen, aber wohlfeilen Argumenten entziehen! Und ihr Mandant, verehrte Kollegin, ist nun einmal nach unserer Verkörperungsregelung überzählig! Persönlich bedauere ich die Härte, die uns die Notwendigkeit in solchen einzelnen Fällen aufzwingt, aber ich bin von ihrer Vernünftigkeit überzeugt. Der Antrag muß zurückgewiesen werden.»

An dieser Stelle wurde den beiden Rednern das Wort durch neuerliches Schrillen der elektrischen Klingel abgeschnitten. Sie verstummten und wühlten beide mit grimmigen Gesichtern in ihren Dokumenten, wobei sie besorgte Blicke zu den Leuten in den apfelgrünen Kitteln hinunterwarfen. Diese berieten unhörbar, nickten, gestikulierten und schüttelten die Köpfe. Schließlich hatten sie einen unter sich ausgewählt, einen jungen Mann, der sich nun langsam erhob und mit gesenktem Kopf und hängenden Armen dastand wie ein Verurteilter. Er nahm die Binde von Mund und Nase, und man sah, daß er bleich geworden war. Mit müden Schritten ging er zu der kleinen Tür und verschwand.

Das massige Weib neben dem Engel war für kurze Zeit aufgewacht und hatte den Vorgang verfolgt. Jetzt seufzte es begeistert:

«Ah – ein Gottesurteil!»

Dann sank es mit interessiertem Gesicht wieder in Schlaf.

Der Engel, der sich die ganze Zeit nicht geregt hatte, hob den Kopf und blickte zur Fensternische, unter der er saß, hinauf, denn er fühlte, daß etwas auf ihn heruntertropfte. In der Tat stand dort ein großes gläsernes Gefäß, das er vorher nicht bemerkt hatte. Es war voll Tinte. Vielleicht hatte das überlaute Schrillen der Klingel das Glas zerspringen lassen, jedenfalls sickerte nun der Inhalt durch einen Sprung heraus und tropfte auf die Flügel und das Gewand des Engels. Doch der regte sich auch jetzt nicht, sondern ließ es geschehen, daß die schwarzblaue Flüssigkeit ihn besudelte und in langen Streifen an ihm herunterlief. Sein dunkler Blick war wieder starr auf die kleine Tür gerichtet.

Diese öffnete sich nach kurzem, und eine junge Frau kam herein. Sie hatte ein langes weißes Hemd an und trug in den Händen vorsichtig eine porzellanene Waschschüssel, die mit einem ebenfalls weißen Tuch zugedeckt war.

Vor dem mittleren Balkengerüst angekommen, drehte sie den Zuschauern den Rücken zu, straffte sich in den Schultern, blickte zu dem Rotgewandeten hinauf und zog dann mit einem entschlossenen Ruck das Tuch von der Schüssel. Diese war fast bis zum Rand mit warmem, noch dampfendem Blut gefüllt, in dem, nur halb erkennbar, irgendwelche Organe schwammen.

Im selben Augenblick fuhr der Rotgekleidete von seinem Stuhl auf, sein Puppengesicht verzerrte sich zu einer schreckenerregenden Grimasse der Gier oder der Wut, er stieß den kleinen Tisch beiseite, so daß dieser polternd und krachend die Stufen hinunterschlug, dann fuhr er selbst mit unbegreiflicher Schnelligkeit herab und blieb unmittelbar vor der jungen Frau stehen, die ihn gelähmt vor Entsetzen anstarrte. Der Rotgewandete machte einige tanzartige, greifende Bewegungen in der Luft, während sein Gesicht sich nun völlig entstellte und nichts menschenähnliches mehr hatte. Dann brach er plötzlich los, fuhr mit den Händen in die Schüssel, als suche er etwas Bestimmtes, fischte ein Organ heraus, das vielleicht ein winziges Herz war und stopfte es sich gierig in den Mund und schlang es hinunter. Er wühlte von neuem in der Schüssel, dabei bespritzte er die Trägerin mit Blut. Kaum war das geschehen, warf er, was er in den Händen hielt, fort und zeigte stieren Blickes, keuchend und gurgelnd, mit seinen bluttriefenden Fingern auf die roten Flecken auf dem Hemd der jungen Frau. Er ballte seine Rechte zur Faust, schlug zu und traf sie mit solcher fürchterlichen Wucht gegen die Schläfe, daß sie ohne einen Laut tot zu Boden stürzte. Die Porzellanschüssel zerschellte.

Der Engel war bei diesem entsetzlichen Schauspiel in die Höhe gefahren und stand nun in seiner ganzen Größe da. Der Rotgekleidete wandte sich um und blickte mit gebleckten Zähnen nach ihm hin. Als er die schwarzblauen Flecken auf der marmorweißen Gestalt sah, näherte er sich ihr, zeigte mit seinen besudelten Fingern auf die Flekken, ballte von neuem die Faust und holte zum Schlag aus. Da öffnete der Engel weit den Mund und stieß ein Brüllen aus, das wie das Bersten einer großen Bronzeglocke klang. Einen Augenblick lang schien die Welt bei diesem Schrei stille zu stehen.

Der Rotgekleidete löste sich aus seiner Erstarrung, machte ein paar taumelnde Schritte, und während sein Gesicht wieder den puppenhaften Ausdruck annahm, ja geradezu bekümmert wirkte, beugte er sich nieder und begann, an den dunklen Flecken herumzureiben, wobei seine Lippen sich zitternd bewegten und beinahe unverständlich stammelten:

«Verzeih mir bitte ... ich war nur ein wenig verwirrt ... es tut mir leid ...»

Der Engel stand noch immer reglos und hatte die Augen geschlossen. Es war, als ginge eine Erschütterung durch seinen Körper, ein lautloses, krampfhaftes Schluchzen.

Als er die Augen wieder aufschlug, sah er den Rotgewandeten bei der Leiche der jungen Frau am Boden hocken und deren Gesicht zärtlich streicheln. Um die beiden standen jetzt fünf Kinder in einem weiten Kreis, welche Holzschwerter wie zum Salut senkrecht vor ihre Gesichter hielten.

«Wie schön!» murmelte das massige Weib mit dem erdbraunen Gesicht hinter dem Engel, «die Kinder halten die Totenwache bei den Opfern und den Schuldigen . . .»

Und mit befriedigtem Seufzen glitt sie wieder in Schlaf.

Das übrige Publikum schien die Vorgänge kaum bemerkt zu haben. Es bot nach wie vor den Anblick eines grauen, leicht vom Winde bewegten Schilfmeeres.

Moordunkel ist das Gesicht der Mutter. Breithüftig hockt sie auf dem Tisch und kaut. An der Wand lehnt die Standuhr, ein Riese, der die Stunden schlägt ohne Pause, die Stunden der Reue, die Stunden der Gebete, die blauen Stunden, die Morgenstunden, den Stundentag.

Und die Nacht.

Die Mutter schaut ihn nicht an, den Riesen. Sie blickt an ihm vorbei zum Fenster hinaus und spuckt verächtlich. Draußen geht der Same auf, blüht und verwelkt.

Im dunklen Gang regt sich ein magerer Schatten, ihr Mann.

«Soll ich den Kaffee machen?» fragt er mürrisch.

Die Mutter hat nichts gehört. Sie schnarcht. Und während sie schnarcht, gebiert sie drei Kinder. Der Knabe ist tot, die beiden Mädchen leben.

Der Mann nimmt die Mädchen und trägt sie in die Stube, wo schon viele Kinder sind. Den Knaben legt er draußen zwischen die Saat. Die Mutter ist aufgewacht und kaut wieder. Der Mann geht in den Stall und betrinkt sich. Die Kühe kauen wie die Mutter.

Der Mann schlachtet eine Kuh. Die Mutter ißt sie auf und er und die Kinder. Die Saat geht auf. Alle essen Brot und löffeln die Milch der Mutter und der Kühe.

Der Mann liegt auf dem Ofen und schläft. Die Mutter gebiert wieder zwei Kinder. Die Kühe kauen. Der Vater schlachtet die Mutter. Er ißt sie auf mit den Kindern, auch der Hund bekommt ein Stück. Der Mann bemerkt seinen Irrtum, geht in den Stall und betrinkt sich.

Während er schläft, klettert die älteste Tochter auf den Tisch. Ein Schatten regt sich im Gang, ein fremder Mann. Die Standuhr schlägt blaue und andere Stunden.

Und die Nacht.

Die Tochter gebiert zwei Kinder. Als der Vater zurückkommt und alles sieht, weint er ein bißchen. Später legt er sich in die Sonne und bleibt liegen.

Der Fremde vergräbt ihn unter der Saat, die aufgeht. Die Tochter kaut. Der Fremde geht in den Stall und betrinkt sich.

Langsam wie ein Planet sich dreht, dreht sich der große runde Tisch mit der dicken Platte. Darauf ist eine Landschaft aufgebaut mit Bergen und Wäldern, Städten und Dörfern, Flüssen und Seen. Im Zentrum von allem, winzig und zerbrechlich wie ein Figürchen aus Porzellan, sitzt du und drehst dich mit.

Du weißt von der steten Bewegung, doch deine Sinne nehmen sie nicht wahr. Der Tisch steht mitten in einer Kuppelhalle, die sich ebenfalls dreht mit ihrem steinernen Boden, dem Gewölbe, den Mauern, langsam wie ein Planet.

Fern in der Dämmerung siehst du längs der Wände die Schränke und Truhen, die große, alte Standuhr, welche Sonne und Mond zeigt, dazwischen die Wände, die mit Sternen bemalt sind, da und dort ein Komet, und hoch über dir in der Kuppel die Milchstraße. Keine Fenster, keine Tür. Hier bist du sicher, alles ist dir vertraut, alles ist fest gefügt, du kannst dich auf alles verlassen. Das ist deine Welt. Sie dreht sich, und du in der Mitte der Mitte drehst dich stetig mit ihr.

Aber einmal geschieht es, daß ein Erdbeben durch all das geht. Die steinerne Mauer reißt entzwei, ein Spalt, der sich weiter und weiter öffnet. Die gemalten Sterne treten auseinander, und du schaust in etwas hinaus, das deinen Augen so fremd ist, daß sie sich weigern, es wahrzunehmen, eine Ferne, in die dein Blick stürzt, ein leuchtendes Dunkel, ein regloser Sturmwind, ein immerwährender Blitz. Das einzige, woran dein Schauen sich halten kann, ist eine menschliche Gestalt, schräg gegen den unhörbaren Orkan gelehnt, von Kopf bis Fuß in ein Tuch gehüllt, das zu flattern scheint und sich dennoch, wie auf einem Gemälde, nicht regt. Die verhüllte Gestalt steht ruhig da, aber sie steht auf nichts, denn unter ihren Füßen ist der Abgrund. Der Wind hat das Tuch ans Gesicht gepreßt, du ahnst dessen Form.

Nun siehst du, wie der Mund hinter der Verhüllung sich bewegt, und du hörst eine tiefe, sanfte Stimme sagen:

«Komm heraus, kleiner Blutsbruder!»

«Nein!» schreist du entsetzt, «geh fort! Wer bist du? Ich kenne dich nicht.»

«Du kannst mich nicht erkennen», antwortet dir der Verhüllte, «solange du nicht herauskommst. Also komm!»

«Ich will nicht!» rufst du. «Warum sollte ich das tun?»

«Es ist an der Zeit», sagt er.

«Nein», erwiderst du, «nein, das hier ist meine Welt! Hier war ich immer, hier will ich bleiben. Geh weg!»

«Laß alles los!» sagt er, «tu es freiwillig, ehe du es mußt. Sonst wird es zu spät sein.»

«Ich habe Angst!» schreist du ihm zu.

«Laß auch die Angst los!» antwortet er.

«Ich kann nicht», erwiderst du.

«Laß auch dich selbst los!» sagt er.

Jetzt bist du sicher, daß es eine böse Stimme ist, die da zu dir spricht, und du bist entschlossen sie abzuweisen:

«Warum verbirgst du dich und zeigst dein Gesicht nicht? Ich weiß es: Weil du mich vernichten willst. Du willst mich zu dir hinauslocken, damit ich ins Leere falle.»

Er schweigt eine Weile und sagt endlich:

«Lerne fallen!»

Aufatmend siehst du, wie die verhüllte Gestalt aus deinem Blickfeld verschwindet. Aber nicht sie hat sich geregt. Die Kuppelhalle dreht sich langsam weiter und mit ihr der große runde Tisch, auf dessen Mitte du sitzt, klein und zerbrechlich. Und es dreht sich der Riß in der Mauer fort von der Gestalt dort draußen.

Aber etwas ist anders geworden. Der Spalt schließt sich nicht wieder. Und hinter deinen gemalten Sternen, außerhalb deiner festgegründeten, nie bezweifelten Welt bleibt jenes Andere gegenwärtig, das dir alles fragwürdig macht. Du kannst dich dagegen nicht wehren. Aber du bist auch nicht bereit, es gelten zu lassen. Lange verharrst du so im Gefühl, daß dir eine Wunde geschlagen wurde, die nie wieder heilen wird. Nichts wird mehr sein wie früher.

Und dann geschieht es zum anderen Mal, daß die schräg in den reglosen Sturm gelehnte Gestalt in deinen Blick kommt. Sie hat sich nicht entfernt. Sie hat auf dich gewartet.

«Komm!» sagt die sanfte, tiefe Stimme, «lerne fallen!»

Du antwortest: «Schlimm genug, wenn es einem widerfährt, daß er ins Leere stürzt. Aber es selbst zu wollen oder gar es zu lernen, ist frevelhaft! Du bist ein Versucher, ich werde dir nicht folgen. Also geh fort!»

«Fallen wirst du!» sagt der Verhüllte, «und wenn du es nicht gelernt hast, wirst du es nicht können. Also laß alles los! Denn schon bald wird dich nichts mehr halten.»

«Du bist eingebrochen in meine Welt» schreist du ihn an, «ich habe dich nicht gerufen. Gewalttätig hast du zerbrochen, was mein Schutz und mein Eigentum war. Du kannst nur zerstören, was mich trägt, aber du kannst mich nicht zwingen, dir zu gehorchen.»

«Ich zwinge dich nicht», sagt der Verhüllte, «ich bitte dich, kleiner Blutsbruder! Es ist an der Zeit.»

Die Gestalt schweigt, und während sie schon wieder deinem Blick entschwindet, hebt sie die Hand und hält sie dir hin, und dir scheint, du habest im Licht des immerwährenden Blitzes in der Handwurzel das blutige Mal eines Nagels gesehen. Doch dein Blick war schon dabei, sich abzuwenden, und du hast dich weiter gedreht auf deinem Tisch unter der Kuppel.

Du sagst dir, daß all das nur Blendwerk ist. Früher oder später wird der Spalt im Gemäuer sich wieder schließen, als ob er nie gewesen wäre. Und es wird sich zeigen, daß er in Wirklichkeit nie vorhanden war, denn er kann gar nicht da sein, die Mauern sind uralt und unzerstörbar. Was immer gewesen ist, wird immer sein. Alles andere ist Täuschung, wer weiß wodurch entstanden. Man darf sich nicht darauf einlassen. Und dann diese furchtbare Forderung! Enthielt sie nicht sogar eine Drohung? Und wenn du nach der Hand gegriffen hättest, wer sagt dir, daß sie dich halten würde? War sie denn überhaupt ausgestreckt, um dich zu halten? Oder vielleicht nur, um dich herauszureißen aus deiner sicheren kleinen Welt und dich in den Abgrund zu schleudern? Nein, es wird besser sein, du läßt dich von dem dort draußen nicht mehr finden. Mach dich noch kleiner! Verbirg dich vor ihm! Wenn er dich nicht mehr entdecken kann, läßt er vielleicht ab von dir, und alles wird wieder wie einst.

Die Kuppelhalle dreht sich langsam und mit ihr der große runde Tisch samt Städten, Dörfern und Seen und in der Mitte dir selbst. Und noch ein drittes Mal tritt in dein Blickfeld die verhüllte Gestalt im reglosen Sturm vom immerwährenden Blitz erhellt.

Edgar Ende 47

«Kleiner Blutsbruder», sagt die Stimme, und diesmal klingt sie mühsam, als spräche sie unter Schmerzen, «hör mich und habe Vertrauen! Du kannst nicht mehr bleiben, wo du bist. Komm heraus!»

«Wirst du mich denn auffangen und halten, wenn ich falle?» fragst du.

Der Verhüllte schüttelt langsam den Kopf.

«Wenn du fallen gelernt hast, wirst du nicht fallen. Es gibt kein oben und unten, wohin also solltest du fallen? Die Gestirne halten sich gegenseitig im Gleichgewicht auf ihren Bahnen, ohne sich zu berühren, weil sie miteinander verwandt sind. So soll es auch mit uns sein. Etwas von mir ist in dir. Wir werden uns gegenseitig halten, und nichts sonst wird uns halten. Wir sind kreisende Sterne, darum laß alles los! Sei frei!»

«Wie kann ich wissen, daß es wahr ist, was du sagst?» rufst du verzweifelt.

«Aus dir selbst», antwortet er, «weil ich in dir bin und du in mir. Auch die Wahrheiten halten sich gegenseitig und stehen auf nichts.»

«Nein!» schreist du, «das ist nicht zu ertragen! Gibt es denn keine Rettung vor dir? Was liegt dir an mir? Warum läßt du mich nicht in Frieden hier bleiben, wo ich bin? Ich will deine Freiheit nicht!»

«Du wirst frei sein», sagt er, «oder du wirst nicht mehr sein.»

Danach hörst du etwas, das wie ein Seufzen klingt. Die Mauern beben davon und bewegen sich, und langsam schließt sich der Riß, ganz wie du es dir gewünscht hast. Du könntest zufrieden sein, aber das dauert nicht lang.

Etwas geht vor um dich her, das du erst nach und nach begreifst. Deine vordem vertraute Welt ist dir nicht mehr vertraut. Sie wendet sich gegen dich. Schatten senken sich aus der Kuppelhalle, graue hungrige Nebelgestalten, kleine und große Gesichter, die da sind und dann wieder nicht da, ein aufgeregtes huschendes Gewimmel von Gliedern und Leibern, die zerfließen und sich immer von neuem formen. Was tun sie? Wer sind sie? Wo kommen sie her? Sie steigen aus den Truhen und Schränken auf, aus der Uhr, aus den Mauern selbst, aus allem, worin du dich sicher und geborgen wähntest. Das alles hat keinen Bestand mehr, es vernichtet sich selbst.

Und während die Kuppelhalle sich langsam dreht um dich als kleine, zerbrechliche Mitte, mußt du geschehen lassen, was geschieht. Du hast es ja selbst hervorgerufen. Aber noch haben sie Angst vor dir, ihrem Erzeuger, so scheint es wenigstens. Sie drängen sich in die äußersten Ecken und an den Wänden entlang. Sie pressen sich an die steinernen Mauern, sie lecken gleichsam mit ihren ganzen nebligen Körpern die Wände hinauf und hinunter, und die gemalten Sterne verblassen. Wo sie vorüberstreichen, wird das Gefüge undeutlich, nebelhaft wie sie selbst. Sie rauben deiner Welt ihre Wirklichkeit, sie saugen ihr die Substanz aus, sie machen sie zum Gespenst einer Welt. Sie löschen sie aus, weil es sie niemals gab.

Doch scheinen sie unersättlich, denn langsam kommen sie immer näher zu dir heran. Nur der Tisch mit der dicken Platte und der Landschaft darauf dreht sich und dreht sich noch immer und du mit ihm in der Mitte. Du begreifst, sie werden auch dich auslöschen, weil es dich niemals gab.

Nun fühlst du Hammerschläge, doch ist kein Laut zu hören. Was tun sie da? Sie treiben ein Rohr quer durch das Plattenrund von einer Seite zur anderen, eine mühsame Arbeit, doch sie ermüden nicht. Und dann, als das Rohr zu beiden Seiten herausragt, beginnt etwas fortzurinnen und rinnt immer weiter, und sie lecken es auf, gierig wie Hunde. Und du fühlst, als sei es dein eigenes Blut, das da ausrinnt, wie das Rund unter dir unwirklicher wird von Herzschlag zu Herzschlag. Jetzt packt dich hilfloses Entsetzen.

«Blutsbruder!» rufst du mit einer winzigen, dir selbst kaum hörbaren Stimme, «rette mich! Lehre mich fallen!»

Aber die Mauer öffnet sich nicht, weil sie nicht mehr da ist. Und bald wird es nichts mehr geben als den Abgrund. Du wirst fallen und fallen, ohne es gelernt zu haben, und du wirst suchen in dir nach dem, was mit deinem Blutsbruder verwandt ist, wie die Gestirne es sind, die sich gegenseitig auf ihren Bahnen halten, denn nichts sonst wird dich halten, und an nichts anderes wirst du dich halten können. Doch wirst du es können? Da du es nicht gelernt hast, wirst du es können?

Nun ist alles verschwunden.

Es ist an der Zeit.

Jetzt!

DAS INNERE EINES GESICHTS, MIT GEschlossenen Augen, sonst nichts.

Dunkelheit. Leere.

Heimkehren.

Heimkehren wohin?

Ich weiß es nicht mehr.

Wer – ich?

Ich bin krank vor Heimweh.

Erinnere dich!

Dorthin, woher ich einst gekommen bin. Heim.

Hast du eine Heimat? Bist du ihr Sohn?

Wer fragt?

Wer antwortet?

Jetzt sind die Augen geöffnet, aber dennoch ist da nur Dunkelheit und Leere.

Dafür also, denkt jemand, habe ich diese endlose Reise gemacht, diese Reise, die mich alles gekostet hat, was ich mir in all den Jahren erworben, erkämpft, erlitten habe. Alles, außer den Lumpen, die ich auf dem Leib trage. Dafür habe ich mich durch Wüsten und über Gebirge geschleppt, durch Frost und Hitze, habe Hunger, Durst und das Fieber der Sümpfe ertragen. Dafür habe ich mich durch Stacheldraht gewunden und bin über Dächer geflohen wie ein entkommener Sträfling. Was habe ich denn erwartet?

Nach Hause zu kommen. Und nun ist da nur diese Dunkelheit und Leere. Ich hätte es wissen müssen, daß man niemals zurückkehren kann. Ich bin nicht mehr, der ich war, darum ist nichts mehr, wie es war. Jetzt weiß ich es.

Jemand weiß es jetzt, aber er weiß es zu spät, denn nun kann er schon nicht mehr fortgehen. Er wird sich nicht mehr von der Stelle rühren. Er wird an diesem Fleck in der Finsternis verharren wie ein Stein.

Seine Hand tastet nach einer Uhr, die er schon lange nicht mehr hat. Aber wenigstens fühlt er jetzt seine Hände.

Diese Nacht, denkt er, kann doch nicht ewig dauern. Es muß bald auf den Morgen zugehen. Falls es überhaupt noch einmal morgen wird.

Die Kälte nimmt zu. Sie dringt in ihn ein, tiefer und tiefer. Er spürt sie in seinen Knochen. Er wehrt sich nicht gegen sie. Er ist einverstanden. Er überläßt sich ihr. Aber er wird sich nicht niederlegen, er steht aufrecht. Er wartet.

Also doch, denkt er nach langer Zeit, nun tagt es also doch. Und während er es denkt, begreift er, daß er selbst es ist, der die Welt um sich erschaffen muß, damit sie da ist.

Über dem Waldrand jenseits des Flusses entsteht ein heller Streif am Himmel, blaßgrün, darüber langgestreckt eine Wolke, schwer und dunkel wie ausgelaufene Tinte. Kein Vogelruf, kein noch so fernes Geräusch. Totenstille. Die Landschaft liegt erstarrt. Sogar das Wasser des Flusses steht grau und reglos wie kaltes Blei.

Von ihm also hängt es ab, was da sein wird, was geschehen wird, und doch ist es nicht so, daß er schon begreift, was er wahrnimmt.

Vor dem Waldrand sieht er die Frau, die dort sitzt, groß und grau wie ein Felsblock. Sie strickt und strickt ohne Pause und ohne aufzublicken.

Sein ratloser Blick wandert hinüber zu dem steinernen Brückenbogen, der sich über den noch immer reglosen Fluß krümmt. Und nun erschrickt er und fürchtet sich. Dort stehen zwei Vermummte, ein großer und ein kleinerer, als hätten sie dort schon immer gestanden in ihren langen, graubraunen Mänteln, Köpfe und Gesichter in Tücher gewickelt, die Gewehre an Gurten über die Schultern gehängt. Er weiß nicht, wer diese beiden sind, doch er weiß, sie warten nur darauf, daß seine Frist abgelaufen ist. Dann werden sie über die Brücke kommen und sein Haus niederbrennen.

Mein Haus, denkt er, nun endlich muß ich mein Haus sehen.

Er sieht es.

Es steht vor ihm auf dem freien Feld, wenige Schritte entfernt. Aber er erkennt es nicht. Er ist sicher, es nie zuvor gesehen zu haben. Nichts verbindet ihn mit diesem Gebäude, nicht die flüchtigste Erinnerung, nicht das zaghafteste Gefühl, heimgekehrt zu sein. Er findet es weder schön, noch häßlich, nur fremd. Es gleicht einem großen Taubenschlag. Für ihn ist es unbewohnbar. Es geht ihn nichts an.

Er versucht, es auszulöschen, um ein anderes an seine Stelle zu setzen, aber es bleibt, wo es ist. Es gelingt ihm auch nicht, etwas an ihm zu verändern. Statt dessen fühlt er, daß er gerade um dieses Hauses willen zur Verantwortung gezogen wird. Er hat Schuld auf sich geladen, schwere Schuld offenbar. Er zweifelt nicht daran, denn er fühlt immer deutlicher ihr Gewicht. Was hat er getan?

Er hat dieses Haus, sein Zuhause, verleugnet und im Stich gelassen. Er hat es verraten, weil er anderswo ein großer Mann geworden ist, ein gefürchteter Töter himmlischer Boten, ein berühmter Engeljäger. Denn auf diese Art Beute verstand er sich wie kein anderer. Wieviele Engel hat er erlegt und ausgewaidet und ihre schimmernden Schwungfedern und kostbaren Bälger an die mächtigen Herren der entzauberten Welt und ihre noch mächtigeren Damen verkauft, die ihre Festgewänder damit geschmückt haben! Er hat Netze ausgelegt und Fallen gestellt, und seine Geschosse haben stets so getroffen, daß das kostbare Federkleid nicht beschädigt wurde. Er ist reich geworden damit.

Doch dann kam das Heimweh, und er hat alles

zurückgelassen, um nach Hause zurückzukehren. Und nun steht er hier, fremder als in jeder Fremde, und in seiner langen Abwesenheit haben die Ratten von seinem Haus Besitz ergriffen, haben sich darin eingenistet und ausgebreitet wie eine tödliche Seuche. Das ist es, was er verschuldet hat.

Und nun soll er es bis Tagesanbruch reinigen, soll es von der Rattenpest heilen, sonst wird es niedergebrannt, und er selbst wird vernichtet werden.

Ich mache mir nichts vor, denkt er, es gibt keine Hoffnung. Ich hätte niemals zurückkommen dürfen.

Selbst wenn es ihm möglich wäre, ins Innere des Hauses zu dringen, wie soll er es fertigbringen, Hunderte, vielleicht Tausende von Ratten zu töten – und das mit bloßen Händen, denn seine Waffen hatte er nicht mitbringen können. Aber schon ins Innere des Hauses zu kommen, ist ganz unmöglich für ihn. Es gibt zwar Türen genug, ja eigentlich besteht das Haus vom Erdboden bis zum Giebel aus nichts anderem als offenen Türen – doch sind sie alle viel zu klein für ihn. Höchstens ein Marder könnte dort hineinschlüpfen oder eben eine Ratte, ein Mensch jedenfalls nicht.

Ich bin in der Fremde groß geworden, denkt er, nun habe ich keine Ahnung mehr, wie man es anstellt, wieder klein zu werden.

Er betrachtet das Haus. Jedes der Türchen hat

eine Konsole, ein kleines Brett oder eine Stange vor seiner Schwelle. Aber nichts regt sich. Es steht da wie ausgestorben.

Er sieht oder hört auch keine der Ratten, aber er weiß, daß sie dort drinnen sind, daß sie sich vor ihm verkrochen haben und sich still halten. Auch sie warten. Sie warten darauf, daß er wieder fortgeht. Sie wissen wahrscheinlich nicht, daß es mit ihnen aus ist, so oder so. Aber auch mit ihm ist es aus, es gibt keine Hoffnung.

Hat er denn keine Hilfe? Kein lebendiges Wesen, das ihm beisteht? Wird er nichts in sich finden, was er zu seiner Rettung erschaffen kann? Geschöpfe der Wildnis aus der Wildnis seines Herzens?

Da ist ein Wolf, grauschwarz, mächtig und ungestüm. Und ein zierlicher, verspielter Fuchs. Nein, denkt er, ich habe sie niemals gezähmt. Sie sind mir aus freien Stücken gefolgt. Eine seltsame Freundschaft, wahrhaftig, die sie irgendwann in der Wildnis mit mir geschlossen haben. Es dauerte lang, bis die beiden sich auch gegenseitig gelten ließen, aber schließlich haben sie Frieden untereinander gehalten. Sie haben mich überallhin begleitet, auch in den Städten, auch auf den Schiffen, auch auf dieser letzten Reise, die von allen die sinnloseste war. Sie haben mich niemals verlassen, sogar in dieser Nacht haben sie links und rechts von mir getreulich ausgeharrt, reglos wie Wappentiere.

Aber schon bereut er es, sie hervorgerufen zu haben. Was wird nun aus ihnen, denkt er, wenn das Urteil an mir vollstreckt ist? Wird man sie in Käfige sperren? Wird man sie an Ketten legen? Oder wird man auch sie vernichten? Aber sie haben keinen Teil an meiner schlimmen Sache. Sie sind wild, aber unschuldig. Ich muß sie fortjagen, solange es noch Zeit ist. Also jetzt gleich.

Er legt seine Hände auf ihr Fell, das warm ist. Er beugt sich zu ihnen nieder und flüstert ihnen ins Ohr: Hört zu, meine beiden Tapferen, Schönen! Wir müssen uns trennen. Es ist besser so. Ihr müßt mich jetzt allein lassen. Ich kann euch nicht länger brauchen. Macht, daß ihr wegkommt! Verschwindet!

Aber der Fuchs und der Wolf rühren sich nicht von der Stelle, ganz als wären sie Statuen. Er muß etwas tun, was er noch niemals getan hat. Er tritt nach ihnen mit den Füßen, er schlägt sie mit Fäusten. Sie versuchen, seinen Hieben auszuweichen, aber sie laufen nicht fort.

Weg! keucht er und hat Mühe, ein Schluchzen zu unterdrücken, weg! Weg mit euch!

Sie klagen leise, bei jedem Tritt oder Schlag, der sie trifft, aber sie bleiben. Er beißt die Zähne zusammen und versucht es wieder und wieder. Besser, denkt er, sie sind für den Rest ihres Lebens ohne Vertrauen, aber frei und lebendig.

Endlich scheinen sie verstanden zu haben und hinken wimmernd davon. Aber sie fliehen nicht, sie laufen auf das Haus zu, ihr Nackenfell ist gesträubt. Er hört den Wolf wütend knurren und den Fuchs jilpen. Sie suchen nach einem Eingang, aber keines der Türchen ist groß genug, nicht einmal für den Fuchs. Wie rasend vor Wut kratzt der Wolf mit beiden Tatzen an einer der untersten Öffnungen. Er stößt mit aller Gewalt seinen Kopf hindurch, und nun sitzt er auch schon fest, kann weder vor noch zurück. Er stößt ein Geheul aus, einen langen, rauhen Schrei, und stemmt sich und reißt und drückt, seine Klauen wühlen den Boden auf, die Wand um die Öffnung gibt nach, Stücke bröckeln heraus, und er bekommt den Kopf frei. Schon ist der Fuchs lautlos und blitzgeschwind hineingeschlüpft.

In der plötzlichen Stille hört der heimgekehrte Niemandssohn sein eigenes Herz hämmern. Noch begreift er nicht, was seine Tiere da tun, doch eine törichte Hoffnung steigt in ihm auf, gegen die er nicht kämpfen kann.

Nein, denkt er, die Bedingung ist unerfüllbar. Selbst wenn es dem Fuchs gelingt, ein paar Ratten zu erjagen, was hilft das?

Der Wolf ist herbeigekommen, hat sich seitwärts von ihm niedergelegt und leckt seine blutigen Pfoten. Aus dem Haus ist ein ratloses Winseln zu hören. Für einen Augenblick erscheint die spitze Schnauze des Fuchses hinter einem der obersten Türchen nahe dem Giebel und verschwindet wieder.

Die beiden Vermummten auf der Brücke haben sich nicht geregt. Der Niemandssohn sucht mit seinem Blick ihre Gesichter, aber da ist nichts als Dunkelheit zwischen den Tüchern. Die große steingraue Frau strickt und strickt. Das Wasser des Flusses ist immer noch starr.

Was hat da eben geschrien wie im Todeskampf? War es der Fuchs? Ein unterirdisches Stöhnen kommt jetzt aus dem Inneren des Hauses, ein Schrillen dann, das immer mehr anschwillt, ein Fauchen und Sausen wie von Sturmwind, zuletzt ein vielstimmiges Brüllen, das plötzlich abbricht. Stille. Aus der aufgebrochenen Öffnung schießt der Fuchs wie eine rote Flamme hervor, rast auf seinen Herrn zu, überschlägt sich, jagt weiter aufs freie Feld, wo er wie toll geworden umhertobt.

Langsam nehmen die beiden Vermummten ihre Gewehre von den Schultern, laden durch und legen gelassen an. Sie zielen auf den Fuchs.

Nicht! schreit der Niemandssohn, nicht auf ihn!

Und mit ausgebreiteten Armen läuft er in die Schußlinie und vor die Mündungen. Zögernd lassen die Vermummten die Waffen sinken. Er wendet sich um.

Der Fuchs liegt ganz nah hinter ihm, hechelnd mit weit heraushängender Zunge, und blickt ihm mit schrägem Kopf entgegen. Der Blick seiner grünen Augen hat fast etwas Übermütiges. Mit einem Stoß seiner Schnauze dreht er einen kleinen Kadaver um, der zwischen seinen Pfoten liegt.

Der Niemandssohn nimmt die Beute auf und betrachtet sie. Ein schwarzer, nasser struppiger Balg, leer und schon kalt und fast ohne Gewicht, und doch etwas Entsetzliches, nicht weil es jetzt tot ist, sondern weil es einmal gelebt hat, weil es möglich war: Ein winziges, dreieckiges Gesicht, uralt, voller unbegreiflicher Bosheit selbst jetzt noch, verkrümmte Menschenhändchen mit langen spitzigen Klauen. Wenn dies eine Ratte ist, so hat er nie zuvor eine Ratte gesehen.

Er trägt das Ding auf beiden Händen ausgestreckt vor sich und geht auf die Vermummten zu. Fuchs und Wolf folgen ihm. So bleiben sie zu dritt vor der Brücke stehen.

Nach einer langen Stille hängen die beiden Vermummten ihre Gewehre wieder über die Schultern, und abermals nach einer langen Stille drehen sie sich um und gehen mit schweren, unsicheren Schritten davon.

Der Niemandssohn blickt ihnen nach, und nun quillt unversehens alle Hoffnung, die er nicht mehr zu haben glaubte, in ihm empor wie ein heißer Tränenstrom. Er fühlt Wärme aus seinen Knochen steigen, sie strömt in seine Glieder, in seine Brust, in seine Kehle, in seine Augen. Jetzt weiß er, daß seine Heimkehr erst begonnen hat.

Die große steingraue Frau drüben am Waldrand hat aufgehört zu stricken. Ihre Hände liegen reglos im Schoß. Ihr bisher schattendunkles Gesicht ist nun erhellt vom Widerschein der Morgendämmerung, der sie es zugewandt hat. Sie blickt in ruhiger Erwartung zum immer leuchtenderen Himmel hinüber. Von dort her löst sich aus dem Licht, sehr fern noch und fast nur zu ahnen, doch schon in allen Kolibrifarben erglänzend, das erste schlagende Schwingenpaar.

DIE BRÜCKE, AN DER WIR SCHON SEIT VIELEN Jahrhunderten bauen, wird niemals fertig werden. Wie eine ausgestreckte Hand, die niemand ergreift, ragt sie über die steilen Klippen unserer Landesgrenze hinaus, unter denen der schwarze bodenlose Abgrund sich dehnt. Ihr hochgeschwungener Bogen verschwindet irgendwo weit draußen im dichten Nebel, der beständig aus der Tiefe aufsteigt.

Ein solches Bauwerk kann man nicht vollenden, wenn einem nicht von der gegenüberliegenden Seite entgegengebaut wird. Und wir haben niemals bisher ein Anzeichen dafür entdecken können, daß man auch drüben an einem solchen Projekt arbeitet. Es ist wahrscheinlich, daß man dort noch nicht einmal etwas von unseren Anstrengungen bemerkt hat.

Viele von uns bezweifeln sogar, daß es überhaupt eine gegenüberliegende Seite gibt. Diese Leute haben im Lauf der letzten zwei Jahrhunderte eine von der alten orthodoxen Lehre abweichende eigene Kirche gegründet, deren Mitglieder mit dem Namen *die Einseitigen* bezeichnet werden. Ursprünglich handelte es sich dabei um einen Spottnamen, den die Orthodoxen ihnen gaben, später dann übernahmen sie ihn jedoch selbst und tragen ihn seither mit einem gewissen Stolz. Ihre Überzeugung hindert sie übrigens keineswegs daran, sich auch weiterhin mit allen Kräften am Brückenbau zu beteiligen, wie es unsere Ethik vorschreibt. Deshalb werden sie heute auch nicht mehr verfolgt, wie es zu früheren Zeiten bisweilen geschah, sondern gelten als gleichberechtigt, oder doch fast. Man erkennt sie an einem kleinen senkrechten Einschnitt im linken Ohrläppchen, durch den sie ihre *Einseitigkeit* bekennen. Die anderen dagegen, welche die orthodoxe Mehrheit bilden, nennen sich *die Halben*. Sie bezweifeln nicht das Vorhandensein einer anderen Seite, wissen aber, daß sie unerreichbar ist.

Obwohl die Brücke niemals über die Hälfte auf unserer Seite hinausgediehen ist, findet doch ein reger Verkehr auf ihr statt. Zu allen Tages- und Nachtzeiten kann man dort Fuhrwerke, Reiter, Fußgänger, Sänften und Lastenträger sehen, die in beiden Richtungen ziehen. Ohne Handelsbeziehungen mit der anderen Seite könnten wir heute nicht mehr existieren, denn alle Medikamente und ein großer Teil unserer Lebensmittel kommen von dort. Wir liefern ihnen dagegen irdene Gefäße aller Art, Ziegel, Metallgeräte und Erdwachs, das wir in unseren Bergwerken fördern.

Fremden ist es oft schwer begreiflich zu machen, daß wir diese Tatsache, die ihnen ein offensichtlicher Widerspruch zu sein scheint, ohne Schwierigkeit hinnehmen und mit ihr leben. Unsere Religion verbietet uns – und darin gibt es keinen Unterschied zwischen *Einseitigen* und *Halben* –, daran zu zweifeln, daß nur derjenige Teil der Brücke wirklich vorhanden ist, den wir selbst gebaut haben. Zeloten und Heresiarchen, die es hin und wieder in unserer Geschichte gegeben hat, wurden kurzerhand bis zu der Stelle geführt, wo unsere Brücke zuende ist, und gezwungen weiterzugehen. Natürlich stürzten sie in die Tiefe.

Wer nicht in unserem Land geboren und aufgewachsen ist, mag es schwierig finden einzusehen, daß die Voraussetzung für den Verkehr zwischen uns und der anderen Seite geradezu darin besteht, daß wir ihn aus tiefster Überzeugung für unmöglich halten. Würden wir ernstlich an diesem Fundament unserer Lehre rütteln, so müßte – dessen sind wir sicher, und alle unsere heiligen Bücher beweisen es – unverzüglich der von uns gebaute Teil der Brücke einstürzen und wir wären verloren. Reisende mögen also ihre Zunge im Zaum halten und nicht allzu hartnäckig das Geheimnis unseres Glaubens zu erforschen trachten. Sie laufen sonst Gefahr, dem selben Schicksal anheimzufallen wie jene Ketzer aus unserem eigenen Volk. Sie würden dann am eigenen Leib erfahren, daß unsere Brücke nicht fertig geworden ist und zwischen uns und der anderen Seite noch immer der Abgrund liegt.

Bei einer Eheschließung – deren es übrigens nicht wenige gibt – zwischen einer Tochter oder einem Sohn unseres Landes mit einer Tochter oder einem Sohn von drüben wird deshalb feierlich von der oder dem letzteren bekannt, nicht vorhanden zu sein. Der Unterschied in unseren beiden Konfessionen besteht lediglich darin, daß die Formel bei den *Einseitigen* lautet: «Ich bin von nirgendwo gekommen, denn den Ort meiner Herkunft gibt es nicht. Darum bin ich niemand, und so nehme ich dich zum Manne (zur Frau)», während es bei den *Halben* heißt: «Von dort, wo ich herkomme, konnte ich unmöglich kommen, darum bin ich nicht hier, und so nehme ich dich zum Manne (zur Frau).» Mit dieser Zeremonie erwirbt der Betreffende das volle Bürgerrecht in unserem Lande und gilt fortan als reale Person mit allen Rechten und Pflichten eines Ehepartners.

Es ist ein Zimmer und ist zugleich eine Wüste. Die kahlen Wände erheben sich fern und dunstig am Horizont. Rundum nichts als Sand, Hügel hinter Hügel, endlos nach allen Richtungen. Hoch oben im Zenit hängt eine weißglühende Sonne, oder ist es eine Lampe mit bläulich emailliertem Blechschirm? Die Grellheit tötet alle Farben, sie läßt nur weiße Flächen und schwarze Schatten übrig: Das Skelett des Lichtes, blendend, unerträglich, mörderisch, der böse Glanz eines kosmischen Schweißapparates.

Das Zimmer hat zwei Türen, die riesenhaft in die blaue Glut des Himmels eingelassen sind, eine im Norden und eine im Süden über dem wabernden Horizont.

Von der nördlichen Tür führt eine vielfach gewundene Spur kleiner Sandtrichter mitten in die Wüste. Hier bewegt sich ein Mann ameisenklein vorwärts. Bei jedem Schritt sinkt er bis über die Knöchel ein, er taumelt, er rudert mit den Armen.

Das ist der Bräutigam.

Sein Gesicht ist von der Sonne verbrannt, die Haut geplatzt und voll Blasen, die Lippen sind weiß von getrocknetem Speichel. Farbloses, ausgebleichtes Haar steht ihm wirr und starr um den Kopf wie Stroh. Seine Brille, die ihm immerzu von der schweißnassen Nase rutscht, schiebt er mit dumpfer Geduld immerzu wieder an ihren Platz. In der linken Hand schwenkt er einen alten zerbeulten Zylinder. Der Hochzeits-Cutaway, den er trägt, mag ihm in vergangenen Zeiten einmal gepaßt haben, nun aber ist er ihm viel zu groß, die Schöße hängen ihm bis auf die Fersen. Der Stoff ist schäbig geworden und zerfällt an gewissen Stellen. Das Hemd ist ihm aus der Hose gerutscht, denn auch die ist zu weit, und er muß sie alle drei Schritte hochziehen. Ein Fuß steckt in einem Lackschuh, dessen Sohle sich löst, der andere Fuß ist mit einem schmutzigen Taschentuch umwickelt, um ihn wenigstens ein klein wenig gegen die Glut des Sandes zu schützen.

Einige zwanzig Meter vor diesem Mann marschiert ein anderer, ein Beamter vielleicht: Äußerst korrekte Kleidung, dunkler Anzug, dunkler Hut, eine Aktentasche in einer Hand, in der anderen einen straff gerollten Regenschirm. Sein Gesicht ist ein wenig blaß und völlig merkmalslos, gleichsam ausgewischt.

Der Abstand zwischen den beiden Wanderern vergrößert sich langsam, aber stetig. Der Bräutigam sputet sich, er ringt keuchend nach Atem, fällt hin, steht wieder auf, taumelt weiter, fällt abermals hin.

«Hören Sie bitte!» ruft er, und seine Stimme klingt hoch und überanstrengt wie die eines alten Weibes, «warten Sie mal! Ich möchte Sie etwas fragen.»

Der Mann ohne Gesicht hat den Ruf wohl gehört, aber er geht noch ein gutes Stück weiter, ehe er schließlich stehen bleibt und sich seufzend umwendet, als handle es sich um das Greinen eines ungezogenen Kindes, das ihn zum hundertsten Mal unter irgendeinem Vorwand aufzuhalten versucht. Lässig auf seinen Schirm gestützt sieht er zu, wie der Bräutigam mühsam die Düne zu ihm empor krabbelt.

«Bitte, beeilen Sie sich!» sagt er kühl. «Was wünschen Sie denn nun schon wieder?»

«Sagen Sie», keucht der Bräutigam und überlegt sichtlich, was er eigentlich fragen wollte, «sagen Sie, bitte, ist es noch sehr weit?»

Beim Sprechen ziehen seine geschwollenen Lippen Fäden.

«Nur noch ein paar Schritte», erwidert der andere ebenso korrekt wie vorher, «nur noch bis zu jener Tür dort.»

Dabei zeigt er mit dem Schirm auf die Tür im Süden. Er will sich wieder zum Gehen wenden, doch der Bräutigam hält ihn fest.

«Verzeihen Sie», bringt er mit einiger Mühe heraus, «wohin – mir ist es nämlich im Augenblick entfallen – wohin gehen wir überhaupt?»

«Zu Ihrer Braut, mein Herr», erklärt der andere, und man kann hören, daß er diese Antwort schon oft geben mußte. Er betont jede Silbe und spricht laut wie zu einem Schwerhörigen oder Blöden. «Ich bringe Sie ins Zimmer Ihrer Braut.»

Der Bräutigam starrt ihn eine Weile mit offenem Mund an, dann schlägt er sich mit der Hand vor die Stirn und lacht hastig und um Entschuldigung bittend. Er versucht ein Lächeln, während er sagt: «Wenn wir bei ihr angelangt sind, dann wird alles gut sein, nicht wahr? Sie wird doch nichts gegen mich einwenden, nur weil ich nicht mehr so gut gekleidet bin? Es ist ja alles um ihretwillen, das wird sie doch einsehen? Was ich gelitten habe, wird sie doch von meiner Liebe zu ihr überzeugen? Sie wird mir glauben, dessen bin ich sicher. Sie wird mich mit offenen Armen empfangen.»

«Wenn wir bei ihr angelangt sind», stellt der andere sachlich fest.

«Gewiß, gewiß», murmelt der Bräutigam, «es wird bald sein, sehr bald. Deshalb habe ich ja den direkten Weg gewählt, nur von jener Tür dort hinten zu dieser da vorn. Der direkte Weg ist der kürzeste, nicht wahr? Das weiß jedes Kind.»

«Nein», sagt der andere ausdruckslos, «nicht im Mittagszimmer. Ich habe es Ihnen von Anfang an gesagt, aber Sie wollten es nicht glauben. Jeder Umweg wäre kürzer gewesen. Sie haben mir nicht einmal zugehört. Und jetzt ist es zu spät. Wir sind schon zu weit gegangen.»

Der Bräutigam leckt sich mit einer zundertrokkenen Zunge die aufgeplatzten Lippen. «Dann kann ich mit ihr tun, was ich will», flüstert er, «sie muß alles widerspruchslos hinnehmen. Sie ist ja meine Braut. Aber das werde ich nicht tun. Ich werde ihr nichts Schlimmes tun, verstehen Sie, was ich meine? Sie ist nämlich sehr schön und jung. Vollkommen unschuldig, wissen Sie. Ich werde jedenfalls zärtlich zu ihr sein, sanft und taktvoll. Daß ich den direkten Weg eingeschlagen habe, heißt nicht, daß ich sie überrumpeln will. Ich werde ihr Zeit lassen.»

Der Begleiter schweigt und blickt uninteressiert zum Horizont.

Der Bräutigam starrt eine Weile auf seine große Zehe, die aus dem Lackschuh hervorragt, dann fragt er plötzlich mißtrauisch: »Sie ist doch schön und jung, meine Braut? Ich wollte sagen – sie ist es noch immer, nicht wahr? Bitte, sagen Sie ganz offen Ihre Meinung!»

«Darüber habe ich keine Meinung», erwidert der Mann ohne Gesicht.

Der Bräutigam reibt sich die Stirn. «Ja, ja, ich weiß. Nur – es ist alles schon so lange her. Ich weiß kaum noch, wie sie aussah. Ehrlich gesagt, ich kenne die Person gar nicht mehr. Irgendein fremdes Mädchen. Wie hieß sie noch? Mein Gott, wir sind schon so lang unterwegs.»

«Wir sind aus jener Tür gekommen», sagt die kühle Stimme, «und gehen zu dieser dort. Das ist alles.»

«Ich verstehe es nicht», gesteht der Bräutigam ein, «ich verstehe einfach nicht, daß es so weit ist.»

«Sie verstehen es nicht», wiederholt der andere und wendet sich zum Gehen, «aber Ihre Braut wartet. Kommen Sie!»

Der Bräutigam hält ihn nochmals am Ärmel fest. «Woher wissen Sie das überhaupt? Vielleicht wartet sie längst nicht mehr. Oder sie hat nie gewartet. Es könnten doch irgendwelche Umstände eingetreten sein. Dann hätte ich alles ganz umsonst auf mich genommen. Ich würde mich lächerlich machen.»

«Das», antwortet die trockene Stimme, «erfahren Sie am besten, indem Sie durch diese Tür da vorn gehen.»

«Diese Tür da vorn», flüstert der Bräutigam, «sie ist unerreichbar, sie bleibt immer vor uns, immer gleich weit... Das ist eine Fatamorgana und keine Tür!»

«Unsinn!» sagt der andere ohne zu lächeln, «eine Fatamorgana erscheint und verschwindet. Aber diese Tür war von Anfang an da und ist an ihrer Stelle geblieben, ganz unverändert.»

Der Bräutigam nickt. «Ja, unverändert – seit damals, als ich losgegangen bin – als ich noch jung war.»

«Es ist also keine Fatamorgana», erwidert der Begleiter in abschließendem Ton und setzt sich in Bewegung.

Lange Zeit wandern die beiden Männer nebeneinander her, aber nach und nach entsteht wieder der Abstand zwischen ihnen, der sich vergrößert. Wieder ruft der Bräutigam, und wieder bleibt der Mann in der korrekten Kleidung erst nach einer Weile stehen und erwartet ihn, auf den Schirm gestützt. Der Bräutigam löst sich zusehends auf, seine Kleidung hängt ihm nunmehr in Fetzen vom Leib, auch scheint es, als sei er noch kleiner und älter geworden.

«Damals», stößt er nach Atem ringend hervor und macht mit dem Zylinder, von dem nur noch der Rand übrig ist, eine fahrige Bewegung in die Richtung der nördlichen Tür, «damals war ich noch kräftig, erinnern Sie sich? Damals war ich es, der vorauslief, nicht Sie, wissen Sie noch?»

«Manchmal», schränkt der andere ein, «sehr selten.»

Der Bräutigam schüttelt eigensinnig den Kopf. «Nein, nein. Sie konnten mich kaum bändigen. Sie hatten Mühe, mit mir Schritt zu halten. Damals war ich jünger als Sie, mein Lieber. Viel jünger und viel kräftiger. Ich war ein stattlicher junger Mann.»

«Ich», entgegnet der Begleiter, «bin immer noch gleich alt.»

Der Bräutigam wischt sich mit der Hand den Sand vom runzligen Gesicht. «Ich erinnere mich», flüstert er, «als wir aus der Tür traten, hockte dort am Boden ein uraltes Weib, winzig, wie von der Sonne eingeschrumpft. Sie hatte nichts auf dem

Leib als einige Fetzen von Spinnweben. Vielleicht war es der Rest ihres Brautschleiers. Arme alte Vettel! Ich ekelte mich vor ihren hängenden Brüsten, die dünn und leer waren wie Hautfalten. Aber der Blick, mit dem sie mich ansah! Ich habe oft an ihn denken müssen. Sie hatte eingesunkene, halbblinde Augen. Und sie streckte mir die Hand entgegen, in der sie ein paar dürre Rosenstengel hielt. Der Blick erinnerte mich an etwas – oder an jemand. Jetzt habe ich es vergessen. Ich weiß nur noch, daß ich mich für sie schämte, weil sie so alt und so häßlich war. Ich nahm die rote Nelke aus meinem Knopfloch und warf sie ihr zu. Sie fing sie auf und lachte zahnlos. Ich glaube, sie war glücklich über mein Geschenk. Ja, damals war ich wahrhaftig ein stattlicher junger Mann und stark wie ein Stier. Ich dachte, nur ein paar Schritte und ich bin bei ihr, bei meiner Braut. Ich hatte es eilig. Darum wollte ich auf direktem Weg zu ihr.»

«Kommen Sie, kommen Sie!» sagt der Begleiter, nun doch fast ein wenig ungeduldig.

Aber der Bräutigam hat noch etwas zu sagen, obgleich es ihm Mühe macht, verständlich zu sprechen. «Meinen Sie nicht auch», krächzt er, «es wäre klüger, wir warten, bis es Abend wird? In der Kühle könnte man den Marsch leichter fortsetzen.»

«Bitte», erwidert der Mann ohne Gesicht, «nehmen Sie sich doch zusammen! Sie bringen ja schon alles durcheinander. Wir befinden uns im Mittagszimmer. Abende gibt es anderswo. Sehen Sie selbst, wir werfen hier so gut wie keinen Schatten. Das Licht steht im Zenit, unverändert und unveränderlich.»

Der Bräutigam nickt traurig, läßt die Arme hängen und sagt: «Ich kann nicht mehr.»

Der Begleiter stochert gleichgültig mit seinem Schirm im Sand. «Das haben Sie schon hundertmal gesagt. Muß ich nochmals an Ihr Verantwortungsgefühl appellieren? Man erwartet Sie. Ihre Braut zählt jede Minute. Sie sehnt sich nach Ihnen, wie nur eine junge Frau sich sehnen kann. Bedeutet Ihnen das denn nichts?»

«Doch, doch!» beeilt sich der Bräutigam zu versichern.

Wieder wandern die beiden schweigend eine lange Wegstrecke, Stunden oder Jahre im gleißenden Licht.

Plötzlich wirft sich der Bräutigam zu Boden, wälzt sich auf den Rücken und schreit aus verkrusteten Lippen zum Himmel hinauf: «Warum? Warum nur? Warum ist der Weg so lang? Ich werde niemals ankommen. Niemals, niemals werde ich meine Braut sehen und umarmen. Warum konnte ich ihr nicht einfach sagen, daß ich sie begehre, daß ich sie haben will, daß mich danach verlangt, ihre Haut zu fühlen, ihren Leib?» Ein Hustenanfall schüttelt ihn, und er kann nicht weitersprechen.

Der Begleiter wartet teilnahmslos ab, bis er vorüber ist, dann sagt er: «Das alles haben Sie getan. Sie haben diese Dinge gesagt, und so stehen sie Wort für Wort in den Dokumenten.» Er klopft mit dem Schirm leicht gegen die Ledermappe.

Der Bräutigam bewegt eine Weile sprachlos die Lippen. «Aber warum», stammelt er schließlich, «warum bin ich dann hier und nicht bei ihr? Warum gehe ich immer nur auf sie zu, ohne sie je zu erreichen? Warum? Warum?»

«Weil Sie es unbedingt so wollten», sagt der andere und blickt zu ihm nieder. «Es ist Ihnen wieder und wieder gesagt worden, daß der direkte Weg der längste ist. Sie haben nicht einmal zugehört. Hören Sie mir wenigstens jetzt zu?»

«Ja», krächzt der Bräutigam. Er starrt den Begleiter lange an, dann beginnt er zu lachen. Es klingt wie ein Gekreisch. Der andere wartet reglos ab. Schließlich schluckt der Bräutigam trocken und flüstert: «Also hat mich ganz einfach die Mathematik betrogen?»

«Nein», sagt der Begleiter, «dort ist es richtig.»

Der Bräutigam läßt den Kopf in den Sand zurücksinken und starrt in die Sonne. Seine Augen schmerzen, als würden sie von glühenden Eisen durchbohrt, aber es kommen ihm keine Tränen. Er hat keine mehr. Er läßt Sand durch seine Finger rinnen und murmelt: «So ist das also. Ich gebe auf. Ich streike. Ich will nicht mehr. Ich streike.»

«Nur Mut!» sagt der Begleiter, aber er sagt es ohne jede Teilnahme. «Dort ist ja schon die Tür. Es sind nur noch ein paar Schritte.»

Der Bräutigam läßt weiter den Sand durch seine Finger rinnen. Der Begleiter zieht ihn hoch und hält ihn mit ausgestreckten Armen vor sich hin, so leicht ist er geworden. Seine Beine baumeln in der Luft wie die einer Puppe.

«Ich sehe nichts mehr», flüstert er, «ich habe keine Augen mehr.»

«Und Ihre Braut?» fragt der andere.

«Ich weiß nichts mehr. Ich verstehe nichts mehr. Ich will nichts mehr. Ich habe keine Braut. Ich habe nie eine gehabt. Ich habe niemals begehrt. Ich habe niemals geliebt. Ich habe niemals existiert. Lassen Sie mich bitte in Ruhe.»

Aber der Begleiter gibt nicht nach. «Sie haben kein Recht, Ihre Existenz aufzugeben. Sie denken nur an sich selbst. Aber Sie haben Verantwortung übernommen. Die können Sie nicht einfach von sich werfen als Mann von Charakter.»

«Charakter . . .» flüstert der Bräutigam, immer noch mit den Beinen baumelnd, «ich frage mich, warum Sie nicht meine Aufgabe übernehmen. Die junge Dame wird sich freuen. Sie sind noch immer jung – jedenfalls jünger als ich.»

Der Begleiter läßt ihn los. Er fällt in den Sand wie ein Bündel Lumpen. Mit zusammengekniffenen Augen versucht er den Gesichtslosen zu sehen, der groß über ihm steht.

EE 60

«Unsere Pflichten», hört er die glatte Stimme sagen, «sind nicht die gleichen.»

Der Bräutigam spielt wieder im Sand. «Pflichten...» flüstert er und kichert ein wenig, «Pflichten...»

Nun wird der andere zum ersten Mal beinahe ungehalten. «Sie stellen sich wirklich an, als ginge es um Ihr Leben.»

«Das tut es auch», antwortet der Bräutigam und nickt traurig, «es geht um mein Leben, rückwirkend, verstehen Sie? Ich bin ein alter Mann, aber ich habe kein Leben gehabt. Man hat mir alles annulliert. Ich bin um mein Leben betrogen worden, ich weiß nicht, von wem. Und nun will ich keins mehr. Ich will nie eins gehabt haben. Dagegen können Sie nichts tun.»

«Doch», sagt der andere, «ich werde Sie die letzten paar Schritte tragen.»

Der Bräutigam kichert. «Die letzten paar Schritte... das schaffen sie nicht!»

«Erlauben Sie!» sagt der andere, und ohne eine Antwort abzuwarten, hebt er den Bräutigam hoch und nimmt ihn auf den Arm. Der legt ein mageres Ärmchen um die Schulter des Begleiters und schmiegt das wackelnde Greisenköpfchen an dessen Hals. So legen sie wieder ein langes Stück Wegs zurück. Obwohl der Bräutigam kaum noch etwas wiegt, wird seinem Träger doch schließlich der Arm lahm, und er läßt ihn zu Boden gleiten.

«Die letzten paar Schritte...» meckert der

Bräutigam triumphierend, «sehen Sie, sehen Sie!»

Der Mann ohne Gesicht antwortet nicht. Er hakt die Krücke seines Schirms in den Kragen des Cutaway, oder vielmehr in den Rest, der davon noch vorhanden ist, und schleift den Bräutigam hinter sich her durch den Sand.

Wieder vergeht endlose Zeit.

Der Bräutigam fühlt, daß der andere ihn losgelassen hat, und versucht, sich aus dem Lumpenbündel zu befreien.

«Wir sind da», hört er die teilnahmslose Stimme sagen, «ich habe Ihnen doch gesagt, es seien nur noch ein paar Schritte.»

Der Bräutigam bringt sich mit einer letzten Kraftanstrengung in sitzende Haltung und reißt die Augen auf. Das Licht dringt in ihn ein wie kochendes Metall, und er stößt einen Schrei aus, doch nicht einmal er selbst vernimmt ihn.

Vor seinem erlöschenden Blick schwankt die Tür. Sie ist geöffnet. Der Durchblick ist eine Schattierung dunkler als das dunstige Blau des Himmels, das ihn umgibt. In diesem Ausschnitt steht ein hochgewachsenes, langbeiniges Mädchen, mit nichts bekleidet als einem duftigen Brautschleier, der von ihrem Scheitel herabfließt und ihren Körper einhüllt, durchsichtig wie zarter Nebel. Ihr Gesicht ist fast in diesem Nebel verborgen, um so deutlicher aber sind ihre langen, schmalen Glieder zu sehen, ihre Schenkel, ihre kleinen Brüste, ihr flacher Leib und der Nachtschatten ihres Schoßes. In der Hand trägt sie einen Rosenstrauß.

«Endlich!» ruft sie, «ich bin fast tot vor Sehnsucht! Wo ist er denn? Wo ist er?»

Der Begleiter wendet sich dem Bräutigam zu, aber der hebt mit großer Mühe eine Hand und legt ein knochendünnes Fingerchen bittend an seinen eingefallenen, zahnlosen Mund.

Der Begleiter zuckt unmerklich die Achseln und wendet sich der Braut zu. «Ihr Bräutigam erwartet Sie hinter der nördlichen Tür. Wenn Sie wollen, führe ich Sie auf direktem Wege zu ihm.»

«Gehen wir!» ruft sie, «gehen wir schnell. Es sind nur ein paar Schritte, dann bin ich bei ihm.»

Sie will loslaufen, hält aber inne, weil der Bräutigam die Hand nach ihr ausstreckt. Ratlos betrachtet sie ihn einen Augenblick lang, dann wirft sie ihm eine Rose aus dem Strauß in ihrer Hand zu.

Der Bräutigam hebt seinen Blick zu dem Begleiter, der mit verschränkten Armen zugesehen hat und nun leise sagt: «Immerhin seid ihr euch begegnet. Ihr habt es schon oft getan und werdet es immer wieder tun. Das können nicht alle von sich sagen.»

Dann folgt er dem Mädchen, das mit langen Sprüngen in die Wüste hineinläuft, auf die andere Tür zu, die riesenhaft am nördlichen Horizont steht. Die beiden Gestalten werden zwischen den Sandhügeln kleiner und kleiner, und nur eine gewundene Spur von winzigen Sandtrichtern bleibt zuletzt.

Der Bräutigam starrt ihnen mit milchweißen Augen nach, während seine Finger die Rosenblüte betasten.

«Wie schön sie ist!» flüstert er, «mein Gott, wie schön sie ist!»

Und während er zurücksinkt in den Sand, murmelt er noch: «Ob sie mich finden wird, dort drüben hinter der anderen Tür?»

Die Hochzeitsgäste waren tanzende Flammen, und sie feierten das glänzendste aller Feste im Schloß aus buntem Wachs. Weithin leuchteten die durchscheinenden vielfarbigen Wände, die Türme, Tore und Fenster über das ganze nächtliche Land hin.

Da gab es aufgeplusterte goldene Flammen, die sich gravitätisch bewegten, und schlanke Silberzungen, die flink durcheinander schlüpften, es gab auch winzige Flämmchen, die allenthalben umherhüpften, und große stille Brände, die fast reglos an ihrem Ort verweilten. Manche waren blendend weiß, andere dunkelorange oder purpurrot. Auch gab es schwelende Flammen mit langen wehenden Qualmkapuzen, und da und dort sah man überaus ernste Kirchenlichter (wie man sie ja auf jedem bedeutenden Fest antrifft). Kurzum, es waren viele tausend Gäste, die zu der Hochzeit geladen waren, und ich war auch dabei.

Wir alle nährten unser feuriges Dasein aus dem bunten Wachs des Schlosses, wir zehrten es auf, verbrauchten es ohne Sorge und kleinliche Rücksicht, indem wir das Fest feierten. Zuerst schmolz natürlich das riesige Dach aus grünem Ziegel-

Edgar Ende 53

wachs, troff durch die Sparren und dicken schwarzen Kerzensäulen des Speichers, lief in zähen Bächen durch die Gemächer und Säle des obersten Stockwerks. Dann schmolzen auch dort die marmorierten Böden und flossen in bunten Kaskaden, Stalaktiten und Stalagmiten, Grotten und Zotten bildend, die Emporen und breiten Treppen hinunter. Je mehr das Gebäude sich verflüssigte, desto wilder und ausgelassener tanzten die Gäste, sie gerieten in wahre Freudenräusche, wurden zu Feuersbrünsten der Begeisterung, wirbelten in trunkenen Flammenreigen der Lust. Bald faßten sie sich an den Händen und liefen blitzgeschwind in langen Ketten durch Hallen und Gänge, bald drehten sie sich in Strudeln, dann wieder wiegten sie sich und glitten in Paaren umher, ineinanderzüngelnd, zu feierlichen Tangos und Sarabanden.

Zu Schneckengerinseln, Zapfen und bizarren Höhlen zerfließend, löste das Schloß sich nach und nach auf, verzehrt vom feurigen Festgelage. Und je mehr von der Substanz der wächsernen Wände und Architrave, Treppen und Säulenkolonaden schon in Licht und Feuer verwandelt war, desto weniger Flammen blieben noch übrig. Eine nach der anderen erlosch, trunken und satt und zu Ende gebrannt. Als schließlich der Morgen dämmerte, flackerten nur noch wenige Tänzer über einem See aus erstarrtem, vielfarbigem Wachs. Doch auch diese letzten Unermüdlichen sanken nach und nach in sich zusammen, glitten noch einmal im Kreis herum und hörten dann auf zu sein. Die leichte Morgenbrise wehte noch eine kleine weiße Rauchfahne über die weite glatte Fläche fort. Dann war die Hochzeit zu Ende.

Ich war dabei. Und eines könnt ihr mir glauben: Es war bei Gott ein großartiges Fest!

Über die weite graue Fläche des Himmels glitt ein Schlittschuhläufer dahin, kopfunter, mit wehendem Wollschal. Er konnte das, denn der Himmel war zugefroren.

Mit tropfenden Nasen und offenen Mündern sah die Menschenmenge von der Erde aus zu, zeigte nach ihm hinauf und applaudierte bisweilen, wenn ihm ein besonders schwieriger (natürlich umgekehrter) Sprung gelungen war.

Er lief in weiten Bögen und Schleifen, immer wieder die gleichen Figuren, bis sich die Spur seines Laufs in den Himmel gekratzt hatte. Jetzt zeigte es sich, daß es Buchstaben waren, eine dringende Botschaft vielleicht. Dann glitt er davon und verschwand fern hinter dem Horizont.

Die Menschenmenge starrte zum Himmel hinauf, aber keiner kannte das Alphabet, keiner konnte die Schrift entziffern. Langsam verschwand die Spur, und der Himmel war wieder nur eine weite graue Fläche.

Die Leute gingen nach Hause und hatten bald den ganzen Vorfall vergessen. Jeder hat schließlich seine eigenen Sorgen, und außerdem: Wer weiß, ob die Botschaft wirklich so wichtig war.

DIESER HERR BESTEHT NUR AUS BUCHSTABEN. Aus sehr vielen Buchstaben, versteht sich, aus einer astronomischen Zahl von Buchstaben, aber eben doch nur aus Buchstaben.

Hier ist seine Freundin. Sie ist, wie man sieht, aus Fleisch und Bein. Und aus was für welchem! Es ist ein Vergnügen, es nur anzusehen – und nun gar erst, es zu berühren!

Nun gehen die beiden zusammen auf den Jahrmarkt. Auf der Schiffsschaukel und im Riesenrad geht alles noch gut. Aber dann kommen sie zu einem Schießstand; einem etwas seltsamen Schießstand, zugegeben.

Prüfe Dich selbst! steht groß oben darüber. Und weiter unten stehen die Regeln zu lesen. Es sind nur drei:

1. *Jeder Schuß ist garantiert ein Treffer.*
2. *Für jeden Treffer gibt es einen Gratisschuß.*
3. *Der erste Schuß ist frei.*

Der Herr, den Arm um die Hüfte seiner Freundin geschlungen, studiert aufmerksam die Inschrift. Er will rasch weitergehen, aber sie drängt ihn, von dem lohnenden Angebot Gebrauch zu machen. Sie will sehen, was er kann.

Aber der Herr will nicht.

«Warum denn nicht, Liebling? Was ist schon dabei?»

Dabei ist, daß man auf ein recht ungewöhnliches Ziel feuern muß, nämlich auf sich selbst, das heißt, auf das eigene Spiegelbild in einem metallenen Spiegel. Und der Herr aus Buchstaben fühlt sich durchaus nicht wirklich genug, um auf eine so gewagte Weise zwischen sich und seinem Spiegelbild zu unterscheiden.

«Entweder du schießt», sagt die Freundin schließlich wütend, «oder ich verlasse dich!»

Er schüttelt den Kopf. Da geht sie mit einem anderen fort, einem Metzgermeister, der sich auf Fleisch und Bein versteht.

Der Herr bleibt zurück und schaut ihr nach. Als sie seinen Blicken im Gedränge entschwunden ist, zerfällt er langsam zu einem kleinen Haufen winziger Minuskeln und Majuskeln, über den die Menge wegtrampelt.

Da hätte er eigentlich ebensogut schießen können, nicht wahr?

Eigentlich ging es um die Schafe, doch auch wir Menschen mußten uns verborgen halten, denn jeder, der der strikten Anweisung, alle Schafe auszuliefern, nicht Folge leistete, setzte damit sein eigenes Leben aufs Spiel. Es genügte sogar schon zu wissen, wo sich Schafe befanden, und keine Anzeige zu erstatten.

Warum die Auslieferung der Tiere mit derartig rigorosen Maßnahmen erzwungen wurde, war uns allen nicht recht erklärlich, denn es schien durchaus nicht so, daß alle abgeholten Schafe sofort geschlachtet wurden. Ein solcher Bedarf an Fleisch, und nun gar an Schafsfleisch, bestand ja nicht. Höchstens die Hälfte der abgegebenen Tiere wurde sofort geschlachtet, was mit der anderen Hälfte geschah, ob sie zunächst in große Vorratsställe gesperrt oder außer Landes gebracht wurden, wußte niemand von uns. Und da wir die ganze Aktion nicht begriffen, in jenen ersten Tagen jedenfalls, entwickelten wir, was die Einzelheiten betraf, die abenteuerlichsten Vermutungen.

Jedenfalls waren wir alle sehr froh, für unsere Schafe diese leerstehende Halle gefunden zu haben. Hanna, meine Frau, war der Meinung, es müsse sich um eine ehemalige Großgarage oder etwas derartiges handeln. Ich dagegen versteifte mich darauf, daß dieses Gebäude nichts anderes sein könne als eine Markthalle. Im Grunde war beides durch nichts zu beweisen. Die niedrigen Verschläge, die rundum an den Wänden entlang liefen und in welche wir die Schafe getrieben hatten, sprachen weder für das eine noch für das andere.

Nichts, sagt man, sei in solchen Situationen schwerer als das Warten. Ich kann diese Erfahrung nicht bestätigen. Unsere Stimmung war eher aufgekratzt, beinahe albern. Man stand in größeren und kleineren Gruppen herum und plauderte angeregt. Manche spazierten auch, einzeln oder paarweise, in der Halle hin und her. Immer wieder war durch das allgemeine Stimmengewirr Gelächter zu hören. Ja, tatsächlich, wir lachten, wir fanden es erheiternd, daß die Metzger, die scharenweise in ihren blutigen Schürzen die ganze Stadt nach verborgen gehaltenen Schafen durchsuchten, sogar im Nachbarhaus aus und ein gingen und doch nicht auf die Idee kamen, in unserer Halle zu suchen. Manche von uns machten sogar spöttische Bemerkungen über den offenbar verkümmerten Geruchssinn der Burschen.

Schließlich waren wir unserer Sache so sicher, daß wir die Schafe sogar aus den Verschlägen herausließen. Die Tiere standen ratlos und ein wenig verstört zwischen uns herum und ließen sich betrachten. Ab und zu blökte eines. Das allerdings schien uns nun doch ein wenig bedenklich. Und als wir bald darauf beobachteten, wie aus eben dem Nachbarhaus, wo die Metzger ständig aus und ein gingen, eine kleine Herde von vielleicht zehn Schafen getrieben und auf ein wartendes Lastauto verfrachtet wurde, verschwand unsere gute Laune im Handumdrehen. Hastig trieben wir unsere Schützlinge wieder in die Verschläge und schlossen sorgfältig deren Türen. Draußen wendete das Lastauto umständlich und mit viel Getöse und entfernte sich endlich.

Es war nicht mehr als höchstens eine halbe Stunde vergangen, als dasselbe Fahrzeug zurückkam und direkt vor unserer Halle anhielt. Das Tor wurde aufgestoßen, und wir sahen, wie aus dem durch Planen verdeckten Teil des Lastwagens einige Metzger sprangen. Mit *Hooo-hupp*-Geschrei zogen sie gemeinsam riesenhafte, blutige Fleischstücke von der Ladefläche, so gewaltig, daß jeweils zwei bis drei Mann sie gemeinsam auf die Schultern nehmen mußten. Ich weiß nicht, von welchen Tieren diese Stücke stammen mochten, von Elefanten oder Mammuts, von Schafen jedenfalls nicht.

Dennoch, der Anblick entsetzte uns, und das um so mehr, als wir sahen, daß die Metzger sich anschickten, ihre blutigen Lasten geradewegs in unsere Halle zu schleppen. Aus dem regelmäßigen *Hooo-hupp* war bald eine Art monotonen Singsangs geworden, zwei Zeilen, die immerfort wiederkehrten und in deren Rhythmus sich die Männer bewegten:

Hol' das Opfer! Trag das Opfer!
Wer kein Opfer bringt, wird Opfer . . .

Wir alle fielen nach und nach in diesen Singsang ein, wohl in der törichten Hoffnung, den Metzgern auf diese Weise unsere Harmlosigkeit und unser gutes Gewissen zu beweisen, was die Befolgung der allgemeinen Anordnung betraf. Dabei zitterte jeder von uns vor der Möglichkeit, daß eines der in den Verschlägen versteckten Schafe anfangen würde zu blöken. Wir sangen immer lauter, um ein etwaiges verräterisches Geräusch unserer Tiere zu übertönen, aber glücklicherweise hielten diese sich erstaunlich still, ganz als ob sie die Gefährlichkeit der Lage begriffen hätten, was ja freilich nicht sein konnte.

Der Zug der fleischbeladenen Metzger – inzwischen waren es übrigens viel mehr geworden, als überhaupt auf dem Lastwagen gekommen sein konnten – bewegte sich mit langsamen, prozessionsartigen Schritten genau auf die Stelle zu, wo ich mit Hanna, meiner Frau, stand. Ich zog sie beiseite, und während ich mich halb abwandte, bemerkte ich in der Wand hinter uns, zwischen zwei Verschlägen, eine Tür, die offenstand und in einen Keller hinunter zu führen schien. Die Metzger marschierten auf diese Tür zu und verschwanden, einer hinter dem anderen, mit ihren Lasten in der Tiefe.

Merkwürdig war mir, daß keiner zurückkam. Der Zug bewegte sich, allem Anschein nach, nur in einer Richtung, nur vom Lastauto vor der Halle zu der Kellertür. Diese Tatsache faszinierte mich so sehr, daß ich meinen Blick lange Zeit nicht von den vorüberziehenden Gestalten abwenden konnte. Ich sagte mir, daß sie wohl durch eine andere Tür ans Tageslicht zurückkehren müßten, aber sobald ich versuchte, mir eines der Gesichter einzuprägen, um es beim nächsten Gang wiederzuerkennen, machte mir ärgerlicherweise meine Kurzsichtigkeit zu schaffen, und das Gesicht verschwamm, obwohl ich meine Brille aufhatte und die Augen zusammenkniff. Ich konnte mir das nicht recht erklären. Ich war, wie man das bei uns nennt, plötzlich *schafssichtig* geworden, denn wie man weiß, sehen Schafe ja, vor allem, wenn sie in Angst geraten, undeutlich oder auch doppelt.

Eine unerträgliche Spannung hatte mich ergriffen, und ich drehte mich nach Hanna um, in der Hoffnung, aus ihrer Miene irgendeine Beruhigung oder Aufmunterung herauszulesen. Aber sie war inzwischen fortgegangen, sie hatte wohl den Anblick der Metzger nicht länger ertragen.

Ich zwang mich zu äußerlicher Gelassenheit und schlenderte, laut das Lied der Metzger mitsingend, zwischen unseren Leuten umher. Die Halle hatte eine Art Seitenschiff, und dort drüben sah ich endlich für einen Augenblick die braun-weißen Karos von Hannas Kleid aufleuchten. Ich eilte zu ihr hinüber und sah, daß sie mit meiner alten Mutter sprach, die auf einem kleinen Klappstühlchen vor ihr saß.

«Da bist du ja!» sagte ich etwas atemlos.

Sie blickte kurz auf, nickte mir lächelnd zu, beugte sich wieder zu meiner Mutter herunter und redete halblaut mit ihr.

Ich schaute über die Schulter zurück. Noch immer zogen die Metzger in ununterbrochener Reihe ein, noch immer sangen sie ihr Lied und schleppten ihre fürchterlichen Lasten. Und dort drüben, bei der Tür, neben der ich vorher mit ihr gestanden hatte, stand Hanna, stand dort noch immer! Zwar hatte sie mir den Rücken zugewendet, aber ich erkannte sie an den großen braunweißen Karos ihres Kleides, an dem roten Schimmer ihres Haars, an ihrer Gestalt, ihren Bewegungen. Sie hatte beide Arme wie zum Tanz seitwärts erhoben, schnippte mit den Fingern und wiegte sich leicht im Takt des Singsangs.

Ich fuhr herum. Vor mir stand ebenfalls Hanna, noch immer im Gespräch über meine Mutter gebeugt!

Ich packte sie hart am Arm und riß sie hoch.

«Du tust mir weh!» sagte sie. «Was soll das?»

Ich konnte vor Erregung nicht sprechen. Mit ausgestrecktem Arm zeigte ich zu der anderen Hanna hinüber. Aber die, deren Handgelenk ich

umklammert hielt, schien nicht zu begreifen, was mich erschreckte. Sie sah mich an und schüttelte ein wenig irritiert den Kopf. Ihr Gesicht erschien mir wie ein weißer Fleck.

«Ja, tatsächlich!» hörte ich meine Mutter sagen. Also sah auch sie, was ich sah.

Und dann geschah, was ich am meisten gefürchtet hatte: Jene andere Hanna dort drüben drehte sich um und kam, als habe sie mich gesucht, eilig zu uns herüber. Als sie ihre eigene Doppelgängerin, deren Arm ich noch immer umkrallt hielt, neben mir erblickte, blieb sie stehen, streckte beide Hände aus und rief lachend: «Jaina, du?»

Die beiden schüttelten sich die Hände wie alte Freundinnen, die sich nach langer Zeit wiedertreffen, und es war, als blicke jede der beiden in einen Spiegel: zwei vollkommen gleiche weiße Flecke!

Ich wollte schreien: Nein, nein, das ist nicht Jaina! Das bist du selbst! – Statt dessen aber versagten mir die Knie, ich fiel auf alle viere nieder und blökte – blökte!

Die beiden Frauen schauten einander zögernd, halb schon zweifelnd, an. Ihre Hände trennten sich.

Die Metzger hatten ihren Gesang unterbrochen, und ich sah, wie sie, gebückt unter ihren riesigen Fleischlasten, mit gesenkten Stirnen zu uns herüberschielten.

Mann und Frau wollen eine Ausstellung besuchen. Sie haben sich beide fein gemacht, sind in gehobener Stimmung und voller Erwartung.

Vor dem Eingang eines großen fensterlosen Gebäudes, in welchem die Ausstellung gezeigt wird, liegt eine kleine parkartige Grünanlage, eine zertretene und von Hundekot übersäte Wiese, rechteckig von schmächtigen Bäumchen umgrenzt. In zwei Reihen, die auf den Eingang zu führen, stehen hier einige Zementwürfel, etwa vom Umfang kleiner Zeitungskioske. Jeder dieser Würfel hat auf der Vorderseite ein niedriges Schiebefensterchen, darüber steht: *Eintrittskarten.*

Die Frau setzt sich auf eine Anlagenbank, während der Mann zum nächstliegenden Würfel geht und durch das Schalterfenster schaut. Drinnen sitzt ein ganz ungewöhnlich dicker, kahlköpfiger Mensch in Hosenträgern und schläft mit offenem Mund. Der Mann klopft erst vorsichtig, dann immer heftiger an die Scheibe. Der Dicke erwacht, wischt sich den Speichel vom Kinn und öffnet das Fensterchen.

Der Mann muß sich tief bücken, um sich verständlich zu machen.

«Bitte für zwei Erwachsene. Wieviel macht das?»

Der Dicke blickt nachdenklich vor sich hin. Er nickt ein paarmal, schließt dann das Fensterchen und schläft wieder ein.

Der Mann wartet eine Weile, da der Dicke aber nicht wieder aufwacht, macht er seiner Frau ein Zeichen, sich zu gedulden, und geht zum nächsten Zementwürfel.

Hier sieht er im Inneren eine weibliche Person auf einem Stuhl sitzen und schlafen. Sie ist so ungeheuerlich dick, daß sie fast den ganzen kleinen Raum ausfüllt. Der Mann überlegt, wie sie wohl überhaupt durch die Tür hinein und herauskommen kann, da bemerkt er, daß der Zementwürfel keinerlei Tür hat. Das kleine Schiebefensterchen scheint die einzige Öffnung zu sein, die es gibt.

Er klopft. Nach einer Weile erwacht die weibliche Person und öffnet.

«Für zwei Erwachsene bitte», sagt er. «Wieviel macht das?»

«Ja», erwidert sie träge.

Er wartet.

Die weibliche Person schließt das Fensterchen und schläft wieder ein.

Der Mann ist nicht bereit, sich so schnell entmutigen zu lassen. Im nächsten Würfel sitzt ein ebenso dicker junger Mann, im darauffolgenden eine nicht weniger umfangreiche Alte im Unterrock, ein Haarnetz auf ihren spärlichen Strähnen. Beide erwachen erst nach längerem Klopfen, öffnen ihr Fensterchen, hören die Frage, nicken, schließen das Fensterchen und schlafen wieder ein.

Der Mann geht geduldig von Würfel zu Würfel. Außer der enormen Leibesfülle haben die Personen hinter den Schaltern keine Ähnlichkeit miteinander.

Hinter dem letzten Schalterfensterchen sitzt ein Kind, ein etwa sechs- oder achtjähriges Mädchen. Es ist im Verhältnis zu seinem Alter und seiner Größe fast noch dicker als alle anderen Würfelinsassen. Sein aufgedunsenes Gesicht ist von teigiger Blässe, im farblosen Haar trägt es eine rosa Schleife.

Der Mann ist gerade im Begriff, ebenso wie bei den vorigen Schaltern zu klopfen, als sein Blick auf einen Zettel fällt, der von innen gegen die Scheibe geklebt ist.

Sag nicht, was du willst!
Frag mich, was mir fehlt!

Der Mann winkt seine Frau herbei, und beide studieren die Anweisung, in ungelenker Kinderschrift und mit zerlaufenem Tintenstift gemalt.

Die Frau seufzt.

«Leicht wird es einem heutzutage nicht gerade gemacht.»

«Nein, wahrhaftig nicht», sagt er, «vielleicht kommen deswegen so wenig Besucher. Seit wir hier sind, habe ich außer uns niemand gesehen.»

Er klopft, das blasse dicke Kind erwacht und öffnet das Schiebefensterchen.

«Habt ihr denn keine Türen», fragt der Mann, «durch die ihr heraus und hinein könnt?»

«Nein», erwidert das Kind und errötet flüchtig, als habe es etwas Beschämendes eingestanden.

Jetzt mischt sich die Frau ins Gespräch:

«Dann hat man wohl die Würfel um euch herumgebaut? Oder wie seid ihr da hineingekommen?»

Das dicke Mädchen nickt traurig.

«Man hat sie um uns herumgebaut. Aber man hat nicht damit gerechnet, daß wir alle noch wachsen. Wir sind nämlich eine Familie, obwohl man uns das vielleicht nicht ansieht.»

«Aber da könnt ihr ja nie miteinander reden!» wirft die Frau mitfühlend ein.

«Das ist nicht das Schlimmste», meint das Kind, «weil wir doch nur immer streiten würden. Das Schlimmste ist, daß wir nie in die Ausstellung gehen können, obwohl wir es doch sind, die die Eintrittskarten verkaufen. Ohne uns könnte überhaupt niemand hinein.»

«Ist dir das denn so wichtig?» will die Frau wissen. «Ich meine, du bist doch noch klein – oder jedenfalls jung. Glaubst du, daß du alles verstehen könntest?»

«Verstehen ...», das Kind zuckt die Achseln, «ich möchte einfach wissen, was es da zu sehen gibt.»

«Wir können dir ja davon erzählen», schlägt die Frau vor, «wenn wir wieder herauskommen.»

Das Kind schaut sie dankbar an.

«Aber dazu», meint der Mann, «müssen wir natürlich erst mal hinein. Wir brauchen zwei Eintrittskarten, nicht wahr?»

«Ja», sagt das dicke Kind und wirkt schon wieder überaus schläfrig. Darum fährt er rasch fort:

«Was würdest du denn tun, wenn du dich frei bewegen könntest?»

«Ich würde eben hineingehen, um herauszukriegen, warum wir hier eingeschlossen sitzen müssen.»

«Aber wenn du dich frei bewegen könntest, dann würdest du ja nicht hier eingeschlossen sitzen und hättest also gar keinen Grund hineinzugehen.»

Das dicke Kind sieht den Mann überrascht an.

«Richtig!» murmelt es. «Dann kann ich ebensogut hier sitzen. Daran habe ich noch nie gedacht.»

«Na siehst du!» sagt die Frau und lächelt freundlich. «Zwei Eintrittskarten für uns, bitte!»

«Und einen Katalog!» fügt er hastig hinzu.

«Zwei Erwachsene ... ein Katalog», wiederholt das dicke Kind geschäftsmäßig. «Hier, bitte sehr.»

Es schiebt die zwei Billets und den Katalog aus dem Schalter, schließt das Fensterchen, ohne Geld genommen zu haben, und schläft mit zufriedenem Gesicht wieder ein.

Mann und Frau sehen sich an, stoßen gleichzeitig einen erleichterten Seufzer aus und gehen durch die große Eingangstür in das fensterlose Gebäude hinein. Darüber steht in großen Lettern der Titel der Ausstellung: *Gegenstände.*

Im ersten Raum sehen sie sich einem Schaf gegenüber, das mit hängendem Kopf und hängenden Ohren in einer Ecke steht.

Er schlägt im Katalog nach und findet den Titel *Schaf.* Er liest ihn halblaut vor.

«Es sieht fast natürlich aus, findest du nicht?» fragt die Frau ängstlich.

Das Schaf blökt leise und betrübt. Sie klammert sich am Arm ihres Mannes fest und flüstert:

«Laß uns schnell weitergehen!»

Im nächsten Raum finden sie eine Glasvitrine, in welcher ein Staubwedel lehnt. Der Mann schlägt wieder nach und findet den Titel *Staubwedel.* Und wieder liest er ihn halblaut vor.

Die Frau geht um die Vitrine herum und betrachtet das Ausstellungsstück von allen Seiten.

«Stimmt!» sagt sie schließlich und nickt überzeugt.

Das anschließende Zimmer ist knöcheltief mit Wüstensand gefüllt. Und natürlich ist der Titel des Werkes *Wüstensand.*

Sie stapfen hindurch.

Als nächstes betrachten sie eine brennende Fackel mit dem Titel *Brennende Fackel*, die in einem Gestell zusammen mit Äxten und Beilen steckt. Danach kommt ein sehr langes Netz mit dem Titel *Netz*, welches schräg durch den ganzen Saal gespannt ist. Im Raum danach steht eine Standuhr mit dem Werktitel *Standuhr*.

Hier treffen Mann und Frau auf einen anderen Besucher. Es handelt sich um einen Kollegen des Mannes, der sie beide herzlich begrüßt. Er hat einen lebenden Hummer bei sich, den er wie eine etwas sperrige Sache unter dem linken Arm trägt.

Zunächst redet man ein wenig über dies und das, dann fragt der Kollege unvermittelt:

«Wie gefällt Ihnen die Ausstellung?»

Mann und Frau wechseln einen unsicheren Blick und murmeln etwas von «noch kein endgültiges Urteil» und «gerade erst gekommen».

Der Kollege unterbricht sie.

«Also es tut mir leid», sagt er ungeniert laut, «es tut mir wirklich leid, aber ich muß offen sagen, ich kann mit dieser Art Kunst einfach nichts anfangen. Ich finde, es ist eine Zumutung!»

«Kunst?» fragt der Mann aufs höchste erstaunt, «ach, ist es denn eine Kunstausstellung?»

Der Kollege starrt ihn ebenso perplex an.

«Wieso, ist es denn keine? Dann bin ich ja auf die völlig falsche Ausstellung gegangen! Aber was ist das denn hier?»

Es entsteht eine kleine peinliche Pause, dann erkundigt sich der Mann, nur um irgend etwas zu sagen, nach dem Hummer und ob der Kollege ihn kochen wolle.

«Nein, nein!» antwortet der fast entrüstet, «das Tierchen ist mir vor ein paar Tagen zugelaufen, aber ich darf es nicht zu Hause lassen, weil meine Frau mir gedroht hat, es aus dem Fenster zu werfen, sobald ich sie mit ihm allein lasse. Sie behauptet, dieses harmlose Geschöpf beschädigt unsere Polstermöbel. Selbstverständlich eine ganz haltlose Anschuldigung, die nur darauf abzielt, mir die Freude zu verderben. Sie kennen ja meine Frau! Jedenfalls bin ich dadurch gezwungen, das Tier nun immerzu mit mir herumzutragen, obgleich das natürlich auf die Dauer auch keine Lösung ist.»

Mann und Frau versichern dem Kollegen ihr Bedauern über die erlittenen Ungelegenheiten und geben ihrer Hoffnung Ausdruck, daß sich doch noch recht bald alles zum Guten wenden möge. Danach verabschieden sie sich und nehmen ihren Gang durch die Ausstellung wieder auf.

Sie besichtigen angelegentlich einen großen hölzernen Taubenschlag mit dem Werktitel *Taubenschlag*. Längere Zeit verweilen sie auch vor einem Bündel von Dynamitstangen, die in fettiges Papier gewickelt und durch Klebestreifen zusammengehalten sind. Einige verschiedenfarbige elektrische Drähte verbinden das Bündel mit einem tickenden Wecker. Laut Katalog trägt das Werk den Titel *Bombe mit Zeitzünder*.

«Hübsch», sagt die Frau ein wenig unsicher. Ihr Mann macht «pscht!» und schaut sich nach ein paar anderen Besuchern um, die gerade eintreten, denn er hat das Gefühl, daß dieses Urteil irgendwie unangemessen ist.

Im nächsten Raum finden sie mit großen roten Buchstaben das Wort *grün* an die Wand gemalt. Erstaunlicherweise heißt diesmal der Titel nicht *grün,* wie der Mann vermutet hatte, sondern *Buchstaben*.

«Originell», murmelt er, und sie nickt und fügt hinzu:

«Aber treffend, nicht?»

Dann gelangen sie in einen Raum, in dem es übelkeiterregend stinkt, denn dort steht ein großer Behälter voller Fischaugen. Der Titel ist, wie vorauszusehen war, *Fischaugen*.

Die Frau kann den Geruch nicht aushalten, und so gehen sie rasch weiter.

Mitten im anschließenden Raum steht auf einem hölzernen Podest eine Blechbüchse. Es handelt sich um eine ganz gewöhnliche, zylinderförmige, allseits geschlossene Blechbüchse mit dem Titel *Blechbüchse*.

Davor steht, reglos in den Anblick versunken, ein kleines Kind ganz allein.

«Na, Kleiner?» fragt die Frau mütterlich, «haben deine Eltern dich verloren?»

Sie beugt sich zu ihm herunter und erschrickt ein wenig, denn der Kleine hat einen schwarzen Vollbart. Nach kurzem Gespräch stellt sich heraus, daß es sich um einen namhaften Kritiker handelt.

«Dies», sagt der Kritiker und zeigt mit einem winzigen Fingerchen auf die Büchse, «ist ein Meisterwerk!»

Der Mann will die Gelegenheit, sich zu bilden, nicht ungenützt vorübergehen lassen und fragt:

«Nach welchen Kriterien beurteilen Sie ein Werk?»

«Zunächst», erklärt der bärtige Kleine, «frage ich mich, was der Künstler uns mitteilen wollte. Und dann entscheide ich, ob die Mittel, die er dazu verwendet, seiner Mitteilung adäquat sind. Diese allseits geschlossene Büchse drückt die vollkommene Unmöglichkeit jeglicher Kommunikation aus. Nichts Inneres dringt nach außen, nichts von außen erreicht das Innere. Der Künstler teilt uns auf höchst eindrucksvolle Weise mit, daß es keine Möglichkeit der Mitteilung für uns gibt. Und das Mittel dieser Mitteilung ist völlig überzeugend.»

«Liegt da nicht irgendwo ein Widerspruch?» wagt der Mann vorsichtig einzuwenden.

«Selbstverständlich!» antwortet der Kleine verärgert, «sonst wäre es ja kein Kunstwerk!»

«Also ist es *doch* eine Kunstausstellung!» sagt die Frau.

Der Kritiker blickt irritiert zu ihr auf, faßt sich aber rasch und erwidert: «Das ist völlig irrelevant.»

Mann und Frau bedanken sich für die wichtige Belehrung und gehen rasch weiter. Sie finden im nächsten Raum eine Krücke mit dem Titel *Krücke* und ein Ei mit einem welken Blatt daneben, jeweils mit *Ei* und *Blatt* betitelt, aber es gelingt ihnen nicht, das eben Gelernte darauf anzuwenden. Auch ein Fernrohr aus schwerem Messing, das den Titel *Fernrohr* trägt, erschließt ihnen nicht seine Bedeutung.

Sie sind ein wenig entmutigt und gehen an den restlichen Ausstellungsstücken ohne großes Interesse vorüber. Einmal bleiben sie noch vor einer Peitsche stehen, deren Schnur um den kurzen Stiel gewickelt ist. Der Titel heißt *Zirkuspeitsche*. Aber auch hier finden sie nicht die verborgene Mitteilung heraus.

«Komm!» sagt der Mann, «mir scheint, es ist hier irgendwo ein Brand ausgebrochen.»

Tatsächlich hat sich der Raum, in dem sie sich gerade befinden, in kürzester Zeit mit Rauch gefüllt. Soeben kommen zwei Ärzte in weißen Kitteln, sterile Masken vor Mund und Nase, eiligen Schrittes aus den Schwaden. Zwischen sich transportieren sie auf einer Trage einen Feuerwehrmann, dessen Uniform qualmt. Sein linkes Bein ist in Höhe des Knies weggerissen, der Stumpf mit blutigem Verbandzeug umwickelt.

Mann und Frau halten sich schützend Taschentücher vor den Mund und streben dem Ausgang zu. Sie erreichen ihn mit rußgeschwärzten Nasen und geröteten Augen. Ihre Kleider sind voller Brandlöcher, ihre Haare angesengt.

Vor dem Zementwürfel, in dem das dicke kleine Mädchen sitzt, halten sie an, um Luft zu schöpfen. Das Kind öffnet das Fensterchen, und der Mann erkundigt sich, was denn eigentlich vorgefallen sei.

«Eine Bombe ist explodiert», sagt das Kind, «haben Sie denn den Knall nicht gehört?»

«Uns ist eigentlich nichts aufgefallen», meint der Mann.

«Das ist doch seltsam», fügt die Frau hinzu, «ist denn schon wieder Krieg?»

«Noch nicht», erklärt das Kind etwas altklug, «es war vorerst nur ein Attentat auf den Ministerpräsidenten von Ndongu.»

«Soso», sagt der Mann und wischt sich mit seinem schmutzigen Taschentuch die tränenden Augen, «ich wußte gar nicht, daß er hier ist.»

«Das ist er auch nicht», antwortet das dicke Kind, «Gott sei Dank! Er befindet sich zur Zeit auf dem Kongreß in Karan-el-Zur.»

«Ach so», meint die Frau, «nun, dann ist ja wohl weiter nichts passiert.»

«Nein, zum Glück nicht», versetzt das Kind, «bis auf einen Briefträger, der in die Luft geflogen ist. Aber das war natürlich nur ein Versehen.»

«Es war ein Feuerwehrmann», berichtigt der Mann.

«Nein, ein Briefträger», beharrt das Kind. «Aber er ist selbst schuld. Er hätte eigentlich Briefe austragen sollen, statt sich hier herumzutreiben. Darum wird sein Tod als ungültig betrachtet.»

Mit diesen Worten schließt das dicke Mädchen sein Schiebefensterchen und schläft wieder ein.

«Wozu sollten wir dem Kind eigentlich berichten, was es zu sehen gibt?» fragt die Frau etwas verstimmt. «Es weiß ja sowieso alles besser.»

Sie gehen an dem fensterlosen Gebäude vorbei, aus dessen Eingang noch immer Rauch quillt. An der Mauer stehen die zwei Ärzte, klopfen die Wand ab und horchen mit ihren Stethoskopen.

«Merkwürdig!» sagt der eine, während er sich die Stöpsel aus den Ohren zieht, «die Explosion pflanzt sich im Inneren der Mauer langsam, aber unaufhaltsam fort, wie es scheint.»

Der andere schüttelt den Kopf und murmelt:

«Ein völlig unerwarteter Lateraleffekt.»

Mann und Frau gehen tief in Gedanken versunken heimwärts. Nach einer Weile sagt er:

«Es war ein Feuerwehrmann. Ich bin da ganz sicher.»

Sie nickt beipflichtend, und er fährt fort:

«Warum machen sie es uns heutzutage so schwer?»

Sie hängt sich bei ihm ein, verschränkt ihre

rußgeschwärzten Finger mit den seinen und sagt, plötzlich von einer unerklärlichen Traurigkeit befallen:

«Es ging vielleicht gar nicht gegen uns. Sie haben es sicher nicht bös gemeint. Aber du hast recht, sie sollten nicht solche Geschichten machen.»

Dem jungen Arzt war gestattet worden, in einer Ecke des Behandlungszimmers Platz zu nehmen und den Vorgang zu beobachten, doch hatte man ihm eingeschärft, auf keinen Fall mit der Patientin zu sprechen oder sich anderweitig störend bemerkbar zu machen. Grübelnd betrachtete er die Maschinerie, deren Sinn er nicht einzusehen vermochte.

Es handelte sich um einen Sessel von der Art, wie sie bei Zahnärzten oder Barbieren Verwendung finden, nur mit dem Unterschied, daß an seiner Rückseite eine vernickelte Stange senkrecht zwischen dem Fußboden und dem Plafond des Behandlungszimmers festgeschraubt war. An dieser Stange glitt der Sessel beständig auf und nieder.

Die Patientin, die darauf saß, eine ältere Dame, war ungemein dick, ihr stark geschminktes Gesicht mehlweiß. Mit einer Art von unansprechbarer Besessenheit stopfte sie fortwährend allerlei Nahrungsmittel in sich hinein, welche auf einem fahrbaren Instrumententisch vor ihr bereitgestellt worden waren: Torten- und Fleischstücke, Würstchen, Artischocken und kleine Happen panierten

Fisches. Bei jedem Bissen, den die Person hinunterschlang, wurde der Sessel wie durch eine Katapultvorrichtung in die Höhe geschossen und fiel mit dem Getöse einer Dampframme wieder zurück. Je größer der Bissen war, desto höher flog der Sessel mit der Dame, ganz so, als würde sie durch die Nahrungsaufnahme nicht schwerer, sondern leichter.

Da außer ihm und der fetten Dame auf dem Sessel niemand im Raume war und es auch nicht wahrscheinlich schien, daß vorerst jemand zur Kontrolle käme, wagte der junge Assistenzarzt schließlich, trotz des strikten Verbotes, die halblaute Frage: «Zu welchem Zweck unterzieht man Sie dieser Behandlung?»

Er mußte seine Frage noch einige Male wiederholen, ehe die Dame ihn hörte und für einen kurzen Augenblick ihre Tätigkeit unterbrach.

«Ich leide», sagte sie und wandte sich ihm, der halb hinter ihr saß, mühsam zu, «an progressiver Gravitation. Nur ständiges Essen erleichtert mich. Wenn ich auch nur einige Sekunden damit aufhöre, so wie jetzt, nimmt sofort mein Gewicht zu. Es ist eine Störung der Erdenschwere, verstehen Sie? Einige Stunden völliger Enthaltsamkeit würden dazu führen, daß mein Knochengerüst unter der Last meines Fleisches zusammenbräche. Es widersteht mir selbst, aber nur ständiges Essen erleichtert mich.»

Rasch, als habe sie etwas versäumt, schlang sie

einen neuen Bissen hinunter, und das Spiel des auf- und niedertanzenden Sessels begann von neuem.

«Man wird Ihnen hier gewiß helfen», murmelte der junge Arzt, «bald wird es Ihnen schon viel besser gehen, Sie werden sehen.» Es stimmte ihn traurig, daß er, trotz ihres offenkundigen Leidens, kein Mitgefühl für die fette Person aufbringen konnte.

Da sie nicht antwortete, erhob er sich nach einer Weile, um die Apparatur genauer zu studieren. In der Nähe des Bodens, zwischen der Nickelstange und der Rückseite des beweglichen Sessels, befand sich eine Vorrichtung, die seine Aufmerksamkeit in besonderem Maße fesselte. Es war ein ziemlich großer gläserner Zylinder, in welchem wie in einer Luftpumpe ein Kolben im Rhythmus des Sessels auf und nieder ging, vermutlich, um dessen allzu harten Aufprall beim Zurückfallen zu dämpfen. Im Inneren dieser gläsernen Röhre saß ein Tier.

Der junge Arzt war nicht in der Lage, dieses Geschöpf zu klassifizieren, doch war es ohne Zweifel das häßlichste, das er je gesehen hatte. Es glich einer besonders großen Vogelspinne, denn es bestand aus einem kugelförmigen Leib und einer Unmenge schwarzbehaarter, sehr beweglicher Gliedmaßen, doch waren diese nicht nach Insektenart steif und durch Gelenke unterteilt, sondern vollkommen weich wie bei einem Kraken. Bei jedem Schlag, den das Tier durch den herabsausenden Kolben versetzt bekam, ringelten sich seine unzähligen Extremitäten schmerzerfüllt und verknäulten sich. Immerfort versuchte es, wenn auch schon halb betäubt, aus dem schrecklichen Gefängnis zu entrinnen, doch fand es nirgendwo einen Ausweg.

Eine Weile beobachtete der junge Arzt das malträtierte Geschöpf und stellte allerlei Überlegungen darüber an, inwiefern wohl eine Notwendigkeit vorliegen mochte, die Qual der Patientin durch die Qual dieser Kreatur zu lindern. Nicht etwa, daß das Tier um seiner selbst willen Mitleid in ihm erregt hätte – dazu war es viel zu abscheulich –, vielmehr war es seine grundsätzliche Einstellung, ein gewisser sachlicher Respekt gegenüber dem Daseinsrecht eines jeden Lebewesens, wie immer es auch beschaffen sei, welche ihn alle unnötige Tortur verabscheuen ließ. Und da er keinerlei Grund dafür sehen konnte, das Tier einer solchen Folter auszusetzen, fühlte er schließlich doch Erbarmen mit ihm, gerade weil es so unaussprechlich häßlich war.

«Hören Sie auf!» schrie er unvermittelt die fette Dame an, die noch immer Bissen nach Bissen hinunterwürgte. «So hören Sie doch endlich auf!»

Aber das Weib schien ihn nicht zu hören, vielleicht wollte es auch einfach nicht, jedenfalls schenkte es seinen Worten nicht die geringste Beachtung, sondern stopfte sich weiterhin wie besessen voll.

Nun packte den jungen Arzt plötzlich Zorn und Empörung. Er ergriff irgendein nickelglänzendes Gerät, das zufällig in seiner Reichweite lag, und zerschmetterte mit mehreren kräftigen Schlägen den gläsernen Zylinder. Sofort blieb der Sessel stehen, was die Dame indessen kaum beachtete. Sie warf dem jungen Mann nur, mit vollen Backen kauend, einen tadelnden Blick aus den Augenwinkeln zu, ließ sich jedoch in ihrer Mahlzeit nicht unterbrechen.

Das spinnenartige Geschöpf war inzwischen zur Tür gelaufen. Der junge Arzt öffnete diese und ließ es hinausschlüpfen. Flüchtig kam ihm in den Sinn, daß er für seine impulsive Tat mit gehörigen Strafen rechnen mußte, doch war es nicht eigentlich dies, was ihn dazu trieb, sich rasch aus dem Zimmer zu entfernen. Vielmehr hatte ihn unversehens eine ihm selbst nicht recht erklärliche Neugier gepackt zu beobachten, wohin das Geschöpf so eilig strebte – nun, da es seinem eigenen Antrieb folgen konnte. Mit erstaunlicher Zielbewußtheit hastete es auf seinen unzähligen Beinen durch die Gänge des Instituts auf die nächtliche Straße hinaus und dort weiter, immer weiter, als wolle es um jeden Preis auf kürzestem Wege zu einer bestimmten Stelle.

In halb gebückter Haltung, um es in der Dunkelheit nicht aus dem Auge zu verlieren, lief der junge Arzt hinter dem Tier her, durch stille Seitengassen und Hinterhöfe, über Brücken und

Treppen, unter Torbögen und Hochbahntrassen hindurch, bis das Geschöpf endlich in dem nur schwach erleuchteten Flur eines armselig aussehenden Mietshauses sitzen blieb. Es machte keinerlei Anstalten mehr, sich weiter zu bewegen.

Der junge Arzt blickte suchend umher. Er konnte sich nicht vorstellen, was das Geschöpf wohl an diesen Ort gezogen haben mochte. Aber vielleicht, so sagte er sich, hatte der Eindruck ihn getäuscht, und es war gar nicht diese besondere Stelle, die das Tier angezogen hatte, sondern hier endete ganz einfach seine Flucht, möglichst weit fort von dem schrecklichen gläsernen Gefängnis. Ja, gewiß war es so. Er unternahm nichts, um es neuerlich aufzuscheuchen, verhielt sich vielmehr ganz still und wartete ab, was geschehen würde.

Er hatte noch nicht lange so gestanden, als er vom entgegengesetzten Ende des dunklen Ganges her ein zweites Tier herbeieilen sah, etwa von gleicher Größe wie das spinnenartige, doch ganz anders von Gestalt. Es glich eher einem dicken Käfer mit mächtigen Greifzangen. Fast gleichzeitig tauchte noch ein drittes Lebewesen auf, das die beiden vorigen an Größe ein wenig übertraf und entfernte Ähnlichkeit mit einer Heuschrecke zeigte. Reglos saßen die drei Tiere nun beisammen, die Köpfe einander zugewandt, so daß ihre Körper gleichsam einen dreistrahligen Stern auf dem Fliesenboden bildeten. Die Anwesenheit des Beobachters schien sie nicht zu bekümmern.

Lange Zeit geschah nichts weiter, und der junge Arzt begann sich über seine eigene Geduld zu wundern. Er hätte selbst nicht sagen können, was eigentlich seine Erwartung gespannt hielt. Als er sich schließlich, mehr aus Vernunft, entschlossen hatte, nun doch fort zu gehen, horchte er plötzlich auf.

Ein eigentümlicher Klang, kaum wahrnehmbar, lag in der Luft, und der Lauschende wurde sich bewußt, daß er ihn, ohne darauf zu achten, schon seit geraumer Weile vernahm. Nun aber, da er ihm seine Aufmerksamkeit zuwandte, hörte er immer deutlicher und klarer einen ganz unirdisch zarten und reinen Dreiklang von solcher Schönheit, daß ihm Tränen des Entzückens in die Augen traten. War es denn möglich, daß diese drei Kreaturen, die so widerwärtig anzusehen waren, miteinander musizierten? War es möglich, daß sie, die dort in der dunklen und schmutzigen Ecke beisammen saßen, diesen reinsten aller Akkorde hervorbrachten? Mein Gott, dachte der junge Arzt entrückt, mein Gott, was für ein unbeschreibliches Glück!

Als die Morgendämmerung anbrach, entschwand die Musik, obgleich die Tiere reglos sitzen blieben. Der junge Arzt trat, noch immer ein wenig benommen, auf die Straße hinaus. Vor ihm lag im ersten Frühlicht eine kleine Grünanlage mit zertretenem Gras. Auf den Bänken saßen etwa zehn Menschen, jeder in sich versunken, als hätten auch sie die ganze Nacht dem Dreiklang gelauscht. Bäuerliche Gesichter waren es, die jetzt eines nach dem anderen aufblickten und dem jungen Arzt lächelnd, aber irgendwie feierlich zunickten. Die Männer trugen Pelzmützen und Bärte, die Frauen Kopftücher, alle waren in weite Kittel aus rohem, ungefärbtem Sackleinen gekleidet. Als der junge Arzt vor sie hintrat, sah er, daß diese Kittel über und über mit Schriftzeichen bedeckt waren, aber es waren Zeichen einer ihm unbekannten Schrift. Er hielt sie für kyrillisch.

«Namen?» fragte er und deutete auf die Buchstaben, «eure Namen?»

Die Angesprochenen nickten lächelnd, aber so, als hätten sie die Frage nicht verstanden, sondern nickten nur aus Freundlichkeit.

«Woher kommt ihr?» fragte der junge Arzt und sprach jedes Wort langsam und deutlich aus.

Ein Alter mit weißem Bart antwortete, aber es war eine fremde Sprache. Plötzlich krähte ein Hahn. Der junge Arzt blickte sich erstaunt um, und die Bauern lachten gutmütig über seine Verwunderung, dabei zeigten sie auf ein Weib, das am Ende ihrer Reihe saß. Der junge Arzt ging zu ihr hin und sah, daß sie ihren Kittel weit geöffnet hatte, so daß ihre mächtigen Brüste entblößt waren. Auf der Haut des Busens war eine Ikone gemalt, kostbar und zum Teil mit Blattgold belegt.

Wieder war der heisere Hahnenschrei zu hören,

und die Bauern lachten. Das Weib mit dem offen dargebotenen Busen machte eine abwehrende Handbewegung gegen die Lachenden, dann zog es hinter der Bank einen Sack hervor, öffnete ihn und hielt ihn so dem jungen Arzt hin. Er warf einen Blick hinein und sah, daß der Sack etwa zur Hälfte mit Eisstücken gefüllt war. Auf diesen saß ein vollkommen nackter, gerupfter Hahn, der allerdings durchaus lebendig war und, als er das zu ihm niedergebeugte Gesicht des jungen Arztes erspähte, mit den Flügelstummeln schlug und zum dritten Male krähte.

NACH BUREAUSCHLUSS STIEG DER MANN mit den Fischaugen in den zweiten Anhänger der Linie 6. Die Straßenbahn war überfüllt wie gewöhnlich um diese Zeit. Die Fahrgäste, in der Hauptsache Männer, hatten die Mantelkrägen hochgeschlagen und die Hüte tief ins Gesicht gedrückt. Es war sehr kalt an diesem Abend, und der Mann beobachtete mit rundem, leerem Blick die Atemwölkchen, die aus vielen Mündern aufstiegen.

Eine Weile mußte er stehen, doch nach der fünften Station wurde ein Platz vor ihm frei, und er setzte sich. Bis zur Endstation war noch viel Zeit. Er zog eine Zeitung aus der Brusttasche seines Mantels, strich sie sorgfältig glatt und vertiefte sich in sie. Aus irgendeinem Grund gelang es ihm jedoch nicht recht, sich auf den Text zu konzentrieren. Er verstand den Sinn mancher Sätze nicht, auch nach mehrmaligem Lesen. Schließlich bemerkte er auf den folgenden Seiten, anfangs vereinzelte, doch dann immer häufigere Druckfehler. Offenbar waren durch Irrtum oder Nachlässigkeit des Setzers einzelne Wörter oder auch Zeilen, ja ganze Abschnitte in einem unbekannten Alphabet gedruckt. Vielleicht griechisch oder kyrillisch. Jedenfalls beschloß er, noch diesen Abend einen diesbezüglichen Beschwerdebrief an die Redaktion zu schreiben.

Die Fahrt, die er täglich zweimal machen mußte, morgens hin und abends zurück, nahm im allgemeinen eine Dreiviertelstunde in Anspruch. An schlechten Tagen, solchen mit größeren Verkehrstauungen, konnte sie allerdings mitunter sehr viel länger dauern. Doch waren ihm solche Verzögerungen eher angenehm als lästig. Er kam nicht gern in seine Wohnung. Er fühlte sich dort nicht zu Hause. Eigentlich hatte er sich noch nie und nirgends zu Hause gefühlt. Wenn die Kollegen im Bureau darüber sprachen, hörte er zu und versuchte vergebens, sich etwas darunter vorzustellen. Doch hatte er sich im Laufe seines Lebens an diesen Mangel gewöhnt wie an ein kleines körperliches Gebrechen, mit dem man sich wohl oder übel einrichtet. Da er allein lebte, war sein Tag unwiderruflich vorbei, sobald er die Tür seiner Wohnung hinter sich schloß. Solang er in der Straßenbahn saß, schienen ihm dagegen noch allerlei Möglichkeiten offen. Er dachte dabei an nichts Bestimmtes, es war allabendlich dieselbe kleine absurde Hoffnung und dieselbe kleine, kaum bewußte Enttäuschung.

Nach einiger Zeit blickte er von seiner Lektüre auf. Es überraschte ihn, daß der Wagen sich heute schon so früh fast völlig geleert hatte. Nur vier

Personen waren noch übrig geblieben – oder vielmehr fünf mit ihm selbst. Ihm gegenüber saßen zwei dicke alte Frauen mit riesenhaften Einkaufstaschen, welche sie, einander mißtrauisch musternd, offenbar keinen Augenblick loszulassen gewillt waren. Beide Weiber waren in eine geradezu lächerliche Menge von Schals, Strickjacken und Wolltüchern eingemummt, beide trugen Handschuhe, welche die Fingerspitzen frei ließen. Soweit man ihre geröteten Gesichter in der Vermummung erkennen konnte, waren sie einander auffallend ähnlich. Vielleicht handelte es sich um Schwestern.

Etwas weiter saß ein armselig gekleideter kleiner Mann, der vor sich niederblickte und in gewissen Abständen ein wenig den Kopf schüttelte, als versuche er etwas zu verstehen, das er immer von neuem nicht verstand. Neben ihm stand ein zarter kleiner Junge mit einer Matrosenmütze auf dem langen Blondhaar, der vor sich hinsang, wobei er mit den Fingern Gucklöcher in die Eisschicht auf der Fensterscheibe schmolz. Plötzlich schien er draußen etwas entdeckt zu haben, denn er begann, aufgeregt an dem Mann zu zerren, faßte ihm sogar ins Gesicht, um seine Aufmerksamkeit zu erlangen. Es dauerte eine Weile, ehe der Mann sich so weit gesammelt hatte, daß er dem Kind sein Ohr zuneigte, die wichtige Mitteilung entgegennahm und nickte. Die Straßenbahn hielt, und die beiden verließen Hand in Hand den Wagen.

Als die nächste Haltestelle nahte, erhoben sich auch die Weiber und schleppten ächzend und schnaufend ihre gewaltigen Markttaschen zu den Ausgangstüren, die eine zur hinteren, die andere zur vorderen, dabei sahen sie sich noch einige Male grimmig nach einander um, obgleich das wegen ihrer Körperfülle nicht ohne Umstände abging.

Der Mann mit den Fischaugen blickte ihnen nach. Er hauchte ein Loch in das Eis seiner Scheibe, um festzustellen, ob die beiden dieselbe Richtung einschlagen würden, doch konnte er sie nirgends entdecken. Die Straßenbahn fuhr wieder an, er lehnte sich zurück und ließ seinen Blick durch den leeren Wagen schweifen.

Nach einer Weile fiel ihm ein, daß möglicherweise noch ein Kontrolleur zusteigen könnte. Er knöpfte seinen Mantel auf und suchte in allen Taschen nach seinem Dauerfahrtausweis, doch konnte er ihn nicht finden. Es war das erste Mal, daß ihm das geschah, und schien ihm ganz unerklärlich. Freilich war es nicht sehr wahrscheinlich, daß auf diesem letzten Teil der Strecke noch ein Kontrolleur zustieg, aber falls es doch geschah, würde es Unannehmlichkeiten geben. Die Sache beunruhigte ihn, und er suchte noch einmal alle seine Taschen durch. Schließlich gab er es auf und versuchte sich zu erinnern, wann er das Dokument zum letzten Mal in der Hand gehabt hatte, aber vergeblich.

Einige Zeit später fiel ihm auf, daß die Sonne, die bei Bureauschluß gerade dabei war unterzugehen, noch immer nicht vollends versunken war. Im Gegenteil, sie hatte sich zweifellos wieder ein kleines Stück erhoben. Das befremdete ihn.

Er kratzte mit den Fingernägeln die Eisblumen von der Fensterscheibe und spähte hinaus. Villen zogen vorüber und kleine, ländliche Holzhäuser, umgeben von großen, blühenden Gärten. Auf einer Schaukel saßen Kinder in leichten Sommerkleidchen oder halbnackt. Der Mann mit den Fischaugen fand das leichtsinnig. Die Kinder mußten sich ja den Tod holen. Im Bureau schrieb man den 23. Januar. Aber die Bäume dort draußen waren grün und manche sogar voller Blüten. Nun schob sich ein von Blumenbeeten umgebenes Denkmal in sein Blickfeld. Es stellte einen ruhenden Hirsch dar, dem anstelle des Geweihs lebendiges, dichtbelaubtes Astwerk aus der Stirn wuchs.

Fast sechzehn Jahre waren es nun schon, die er diese Strecke fuhr, aber noch nie war ihm jenes Denkmal aufgefallen. Im Augenblick hätte er überdies noch nicht einmal sagen können, wo die Straßenbahn sich gerade befand. Er knöpfte den Ärmel seines Mantels auf und warf einen Blick auf seine Armbanduhr. Offenbar waren die Zeiger rückwärts gelaufen. Er würde die Uhr zur Reparatur bringen und einige Tage auf sie verzichten müssen. Diese Aussicht war ihm mehr als peinlich, denn er lebte nach einem genauen Zeitplan. Er schnallte die Uhr ab, hielt sie ans Ohr und schüttelte sie. Darauf blieb die Uhr stehen.

Offensichtlich bemühte sich jetzt der Straßenbahnführer, die versäumte Zeit einzuholen. Er beachtete keine Haltestelle mehr und fuhr seit geraumer Weile in nicht mehr zulässigem Tempo. Der Mann mit den Fischaugen hielt das für leichtsinnig.

Nach und nach begann die Eisschicht an den Fenstern aufzutauen. Kleine Schollen rutschten an den Scheiben nieder, schoben sich übereinander und fielen ab. Die Bahn fuhr jetzt durch ein Waldstück. Zwischen üppigen Blattgewächsen standen Riesenfarne, baumgroße Schachtelhalme und Palmen. Dem Mann mit den Fischaugen kamen Bedenken, ob er möglicherweise in eine falsche Linie gestiegen sei. Doch das war nicht möglich, denn an der Haltestelle, wo er zugestiegen war, verkehrte außer der Linie 6 keine andere. Ein Irrtum war also ausgeschlossen. Er lehnte sich zurück und wartete.

Wildes Wiehern ließ ihn aufschrecken. Ein weißes Pferd jagte neben dem Wagen her, direkt unter seinem Fenster. Es war auf orientalische Art gesattelt und gezäumt, seine Mähne und sein Schweif flatterten im Wind. Manchmal war es sekundenlang hinter Blattwerk und Dickicht dem Blick entzogen, aber immer wieder drängte es sich an den fahrenden Wagen heran. Der Mann mit den Fischaugen hatte nicht darauf geachtet, ob das Tier sich schon lang so merkwürdig verhielt, auch hielt er es nicht für seine Angelegenheit, etwas dagegen zu unternehmen. Da der Schimmel jedoch hartnäckig bei seinem Benehmen blieb, stand er schließlich doch auf, ging auf die hintere Plattform und versuchte, das Tier durch Gesten zu verscheuchen. Da er keinen Erfolg damit hatte, versuchte er sogar, die Tür zu öffnen, obgleich es automatische Türen waren, die während der Fahrt geschlossen blieben. Dennoch gelang es ihm nach einigem Rütteln zu seiner eigenen Überraschung. Heiße, feuchte Luft wehte herein.

Als das weiße Pferd den Mann in der offenen Tür bemerkte, kam es sofort nahe heran und hielt sich so, daß er vom Trittbrett aus sich leicht in den Sattel hätte schwingen können. Dabei streifte es fast die Wand des Wagens. Der Mann mit den Fischaugen trat nach ihm, ruderte mit den Armen und schrie: «Weg da! Mach, daß du weg kommst!» Er hatte Sorge, dem Schimmel könne etwas zustoßen, was dann wahrscheinlich einen längeren Aufenthalt der Straßenbahn nach sich ziehen würde, bis der Tatbestand des Unfalls polizeilich festgestellt wäre, wodurch sich seine Heimkehr möglicherweise um Stunden verzögern konnte. Doch alle seine Bemühungen hatten nur den Erfolg, daß das Tier sich noch mehr anstrengte, ihm nahe zu kommen. Erst als er auf den Einfall kam, zwei Finger im Mund, einen gellenden Pfiff auszustoßen, blieb das Pferd augenblicklich zurück. Er hielt sich an den Griffen fest und beugte sich weit hinaus, dabei sah er gerade noch, wie das Tier, schon weit fort, die Ohren anlegte und in panischem Schrecken das Gebiß bleckte. Danach kehrte er auf seinen Sitzplatz zurück.

Inzwischen hatte sich die Landschaft verändert. Es war nun eine verbrannte Steppe. Da und dort stiegen von Stellen, an denen das Gras noch glomm, leichte Rauchwolken auf. Die Luft über der Ebene waberte vor Hitze. Einmal erblickte er in einiger Entfernung einen Zug von Sträflingen, entsetzlich verhungerte Gestalten in gestreiften Anzügen. Sie gingen auf hohen Stelzen, vermutlich wegen der Glut des Bodens. Er zog den Mantel aus und legte ihn sorgfältig über die Lehne des Sitzes neben sich. Die Sonne stand nun im Zenit. Die trockene Hitze dörrte ihm den Mund aus. Er hätte gern etwas getrunken, aber dazu mußte er sich gedulden, bis er zu Hause war. Lang konnte es ja nun nicht mehr dauern.

Ein wenig später fuhr die Straßenbahn plötzlich ziemlich langsam. Sie bewegte sich an einem schier endlosen Fabrikkomplex entlang, der ausgestorben dalag. Alle Fenster der Gebäude waren eingeschlagen, die Dächer durchlöchert und eingesunken. Offenbar war auf diesem Teil der Strecke auch das Straßenbahngleis sehr schadhaft, wie das beinahe unerträgliche Poltern und Schlagen der Räder vermuten ließ.

Der einzige Mensch, den der Mann mit den Fischaugen in der Fabrikruine entdecken konnte, war ein riesenhafter Greis, vollkommen nackt, dessen Bart zu einem Zopf geflochten beinahe bis auf den Boden herabhing. Er stand mitten auf einem weißgefliesten Platz in der grellen Sonne, winkte dem Vorüberfahrenden zu und deutete immerfort dringlich mit übergroßem Zeigefinger auf einen Kürbis, den er mit der anderen Hand hochstemmte. Dazu schrie er etwas. Es schien ein einsilbiges Wort zu sein, bei dem er die Lippen rund machte. Aber der Mann mit den Fischaugen konnte ihn wegen des Getöses der Räder nicht hören.

Die Straßenbahn beschleunigte wieder. Sie fuhr jetzt durch eine Wüste aus Sand, Steinen und vereinzelt stehenden Felsen, die wie halb zerschmolzene Figuren und Maschinen aussahen. Der Mann mit den Fischaugen sagte sich, daß die Bahn wohl eine Umleitung fahren müsse. Dergleichen konnte ja vorkommen, wenn irgendwo Straßenarbeiten im Gang waren. Sein Durst war inzwischen so unerträglich geworden, daß ihm schon das Atmen schwer fiel. Er schnappte nach Luft. Nach und nach verfiel er in einen halbbewußtlosen Dämmerschlaf.

Als er wieder zu sich kam, war es sehr viel kühler geworden. Er bemerkte, daß die Sonne sich dem Horizont zuneigte – jetzt aber offensichtlich dem östlichen. Und plötzlich schüttelte ihn ein tränenloses Schluchzen. Die dumpfe Geduld oder Gleichgültigkeit, mit der er sich bisher davor geschützt hatte, zur Kenntnis zu nehmen, was da mit ihm gemacht wurde, war ganz plötzlich aufgebraucht. Er sagte laut vor sich hin, daß er noch heute abend eine geharnischte Beschwerde an die Direktion der öffentlichen Verkehrsmittel schreiben würde, aber es half nichts, er glaubte selbst nicht mehr daran. Dieses Eingeständnis erfüllte ihn mit Entsetzen. Er fühlte sich hilflos und nackt dem Unbegreiflichen ausgeliefert, und Panik erfaßte ihn. Er sprang auf und taumelte von der rasenden Fahrt geschüttelt auf die vordere Plattform. Dort versuchte er, durch die Scheiben dreier Wagen hindurch, den Zugführer zu erspähen. Das Glas war staubbedeckt und ließ keine Sicht zu. Er schrie und brüllte und schlug mit den Händen gegen die Fenster, ohne irgend etwas auszurichten. Da griff er nach der Notbremse, denn in diesem Falle hielt er sich für dazu berechtigt. Er zog mit aller Kraft der Verzweiflung, doch nichts geschah. Er zog abermals. Er zog, bis ihm der Arm lahm wurde. Er zog mit dem anderen. Nach einer Weile bemächtigte sich seiner blinder Zorn, und der rote Griff blieb ihm in der Hand. Laut heulend wie ein Kind schleuderte er ihn auf den Boden. Eine Weile stand er da, starrte das Ding an, und sein Keuchen wurde ab und zu von einem trockenen Schluchzen unterbrochen. Nach und nach beruhigte er sich.

Er begab sich auf seinen Platz zurück und starrte mit rundem, leerem Blick durch die staubigen Scheiben in die vorüberziehende, vollkommen gleichförmige Öde hinaus. Das einzig Lebendige, was er nach langer Zeit sah, war ein Mann in der unförmigen, silberglänzenden Montur eines Astronauten, der an einem Strick ein Kalb hinter sich her zerrte, das sich wehrte und nicht mitwollte. Beide warfen unendlich lange Schatten über die Ebene. Das war alles.

Dann fuhr die Bahn plötzlich sehr langsam, fast im Schrittempo. Er schreckte aus seinem dumpfen Brüten auf, raffte Mantel und Hut an sich, eilte zur hinteren Plattform, wo die Tür noch immer offenstand, und sprang ab. Er hatte die Fahrtgeschwindigkeit unterschätzt, stolperte über Steine, stürzte und blieb sekundenlang liegen. Dann fiel ihm ein, daß er mitten aus dieser endlosen Ebene unmöglich zu Fuß nach Hause gehen konnte. Von der Entfernung abgesehen, wußte er ja den Weg nicht, nicht einmal die Himmelsrichtung. Er stand auf und sah, daß die Bahn sich noch nicht allzu weit entfernt hatte. Sie schien ihre Geschwindigkeit sogar noch weiter vermindert zu haben. Er begann zu laufen, doch nun beschleunigte auch sie wieder ihre Fahrt. Nur mit äußerster Anstrengung gelang es ihm, gerade eben noch das letzte Trittbrett zu erreichen und sich, strampelnd und halb schon mitgeschleift, hinaufzuziehen. Auf allen vieren kroch er ins Innere des Wagens und blieb nach Luft ringend auf dem schmutzigen Boden liegen, das Gesicht in der Beuge des Arms versteckt.

Es dauerte lange, ehe er sich kräftig genug fühlte, aufzustehen. Sorgfältig klopfte er seine Knie und Ellbogen ab. Sein Anzug war an mehreren Stellen zerrissen, das linke Hosenbein in Höhe des Knies blutgetränkt. Hut und Mantel hatte er verloren.

Er stellte sich an die offene Tür und ließ mit geschlossenen Augen den Fahrtwind, der inzwischen wieder kräftig blies, sein schweißnasses Gesicht kühlen. Er wehrte sich gegen nichts mehr. Er wußte, daß er sich mit allem einverstanden erklärt hatte. Was immer kommen mochte, es war das, was er selbst wollte.

Die Sonne war so weit auf den östlichen Horizont herabgesunken, daß sie ihn blendete, als er sich aus der Tür beugte, seine Augen mit der Hand beschattete und zu erkennen versuchte, was es war, worauf die Bahn mit ihm zufuhr. Anfangs hielt er den dunklen Streif am Horizont für eine sehr ferne Gebirgskette. Später meinte er, ein aufziehendes Gewitter zu erblicken, und freute sich auf den kommenden Regen. Erst als er noch näher heran war und sah, daß dies Dunkle sich in sich selbst bewegte und atmete, schien es ihm ein von Sturmwinden durchwühlter Wald oder eine über den ganzen Horizont reichende Wand aus riesigen Vorhängen, die langsam auf und nieder wehten, sich blähten, ineinander schlangen und wieder von einander lösten.

Zuletzt erst sah er die Farben: Türme aus Opal, die sich immer neu aufbauten und wieder verloren. Liegende Wände aus durchsichtigem Perlmutt, glühend und transparent wie fließendes Glas. Und das Weiß, das Weiß, das er anfangs für Blitze in der Gewitterwand gehalten hatte!

Da plötzlich begriff der Mann mit den Fischaugen, was es war, worauf er zufuhr – begriff es so sehr, daß ihm das Herz stillstand:

Das Meer.

Der Bordellpalast auf dem Berge erstrahlte in dieser Nacht in kaltem Glanz. Abertausende von Lichtschlangen zuckten, und laufende Girlanden aus Lämpchen erleuchteten ihn wie ein Hypodrom und warfen ihren Schein hinunter bis in die düsteren Gassen und armseligen Hinterhöfe der Hurenstadt, die sonst im Dunkel lagen, denn dort unten gab es kein eigenes Licht. In den schmutzigen Winkeln, in Toreinfahrten, Haustüren und Fensterhöhlen drängten sich unzählige Gesichter, geisterhaft im Widerschein, winzige und riesige, aufgedunsene oder hohlwangige Gesichter, die alle hinaufstarrten zu den morchelförmigen Türmen, den Doppelkuppeln, den bauchigen Mauern des Riesenbaus.

Nur wenige bemerkten das weiße, langmähnige Pferd, das auf prunkvolle Art aufgezäumt und gesattelt durch die Straßen zum Palast hinauftrottete. Es bewegte sich langsam und müde, als seien seine Hufe aus Blei. Sein Kopf hing schwer herab. Im Sattel saß vornübergebeugt ein einbeiniger Bettler in zerfetzter Kleidung, der auf dem Kopf eine Papierkrone trug. Sein Gesicht war von Gram verwittert.

«Unsere Königin wird Hochzeit feiern», flüsterten manche, «und das ist ihr Bräutigam.»

«Aber sie hat doch schon einen Mann», widersprachen andere.

«Das braucht sie nicht zu kümmern», meinten einige, «schließlich ist sie die Hurenkönigin.»

Und ein paar wagten sogar zu fragen:

«Wer hat je ihren Mann gesehen? Vielleicht gibt es ihn gar nicht.»

Aber sie wurden schnell zum Schweigen gebracht. Es war nicht gut, solche Reden zu führen, denn die Königin erfuhr alles und ließ nicht mit sich spaßen.

Als der Reiter vor dem nickelglänzenden Portal des Palastes ankam, das die Form einer großen Vulva hatte, blieb das weiße Pferd von selbst stehen. Niemand kam dem Besucher zur Begrüßung entgegen, kein Laut war zu hören, das hell erleuchtete Gebäude schien wie ausgestorben. Der Bettler ließ sich aus dem Sattel gleiten, nahm zwei rohe Holzkrücken, die über dem Knauf hingen und humpelte damit die Stufen hinauf.

Im Inneren des Gebäudes bestand alles aus einem graphitschwarzen, metallisch glänzenden Material, doch konnten die Formen ebensogut technischen wie organischen Ursprungs sein. Es gab Wände und Decken, die gerippt waren wie ein Gaumen, und im Boden verliefen knotige Adernstränge. Da waren riesige Kolben, die in Röhren oder Öffnungen langsam hin- und zurückglitten, oder kleine, die dieselbe Bewegung rasend schnell vollführten. Dazu war ein Schnaufen und dumpfes Stöhnen zu hören, manchmal auch schrilles Kreischen und Quietschen. An dicken, ölglänzenden Stangen fuhren ringförmige Manschetten auf und nieder, die von gelenkreichen Greifarmen bewegt wurden, oder pumpenartige Gebilde stießen mächtige Pfähle in tiefe Brunnenschächte hinunter. Die Luft war schwer vom Geruch nach heißem Metall.

In anderen Räumen gab es bauchige Düsen, die in gewissen Abständen zähe Flüssigkeiten in Rinnen oder ovale Maueröffnungen spritzten, die sich danach zuckend schlossen. Besondere Schwierigkeiten bereitete dem Mann mit den Krücken ein langer, röhrenförmiger Gang, dessen Wände und Boden glitschig waren und sich in ständiger peristaltischer Bewegung befanden. Schließlich hatte er sich in einen Wald aus knorrigen Säulen verirrt, die immerfort anschwollen, sich aufrichteten und wieder zusammenschrumpften. Er wußte nicht mehr, wohin er sich wenden mußte.

Plötzlich stand eine gebückte, graue Gestalt vor ihm, ein alter Mann, der ihn prüfend aus schmalen Augen anblickte und mit heiserer Stimme fragte:

«Bist du der, der gerufen wurde?»

Der Bettler nickte.

«Komm!» sagte der Alte und ging voraus.

Nach längerer Wanderung kamen sie in einen riesenhaften, leeren und dunklen Rundsaal, in dessen Mitte, grell von Scheinwerfern angestrahlt, sich ein etwa brusthohes Podium von der Art eines Boxrings befand, das ebenfalls rund war. Im Zentrum stand ein nickelglänzender Operationssessel und auf ihm lag die Hurenkönigin.

Niemand hatte je ihr Gesicht gesehen, denn es war mit einer stählernen Maske bedeckt. Ihr Kopf war kahl, und auch ihr nackter Körper war vollkommen haarlos. Ihre elfenbeinglatten Glieder, ihr Rumpf, ihre Brüste waren von makelloser Schönheit, doch wirkte ihre Nacktheit klinisch wie die eines Körpers im Anatomiesaal.

Der kleine graue Mann hüstelte, als sie vor dem Podium standen.

Sie hob ihren Kopf, die stählernen Lider öffneten sich, und sie betrachtete den Bettler mit jadefarbenen Augen.

«Komm näher!» sagte sie träge, «komm herauf zu mir!»

Ihre Stimme klang glatt und weich und auf unerklärliche Art künstlich.

Der kleine graue Mann wollte dem Bettler auf die Bühne hinaufhelfen, aber der wies ihn mit einer Handbewegung ab und blieb reglos stehen.

«Du bist noch immer auf der Hut vor mir?» Sie erhob sich und kam an den Rand des Podiums. Sie stand unmittelbar vor dem Bettler und sah über ihre Brüste hinweg zu ihm hinunter. Der Geruch nach heißem Metall, der von ihr ausging, war betäubend.

«Wer hat dein liebes Weib im Gefängnis verfaulen lassen?» fragte sie sanft.

«Du, Königin.»

«Wer hat deine Kinder verdorben und gegen dich gehetzt?»

«Du, Königin.»

«Wie hast du dein Bein verloren?» fuhr sie fast zärtlich fort. «Wer hat dich zum Bettler gemacht? Wer hat dir alles genommen und dich mit Schande und Kot überschüttet?»

«Alles du, Königin.»

Sie nickte und lachte leise.

«Und trotzdem bist du noch immer auf der Hut vor mir.»

Er hob den Kopf und sah ihr in die Augen.

«Ich habe dir dein Reich geschaffen», sagte er langsam, «ich habe dich vor deinen Feinden beschützt. Erinnerst du dich daran?»

Der kleine graue Mann hustete. Mit einer herrischen Kopfbewegung befahl sie ihm, sich zu entfernen. Er gehorchte und verschwand lautlos in der Dunkelheit des Saales.

«Ich erinnere mich nicht», sagte sie dann, «aber es ist möglich, daß es so war. Du hast jedenfalls nicht mehr getan als deine Pflicht gegenüber deiner Königin.»

Der Bettler schüttelte den Kopf.

«Ich habe es getan, weil ich einen Eid geschworen habe. Das ist lange her. Damals waren wir beide noch jung.»

«Du bist nicht sehr höflich», warf sie spöttisch ein.

«Damals», fuhr er fort, «habe ich noch an dich geglaubt.»

«Und jetzt glaubst du nicht mehr an mich?»

«Nein.»

«Warum hast du deinen Eid nicht einfach gebrochen?»

«Von einem Eid gibt es nichts abzuhandeln. Was daraus wird, ist Gottes Sache.»

«Man kann um alles handeln», sagte sie, «alles ist käuflich und verkäuflich. Alles. Das trifft auch für Gott zu. Auch er hat seine Preise, nicht wahr? Und sie sind nicht gerade bescheiden.»

Eine Weile standen sie schweigend, dann fragte er:

«Warum trägst du die Stahlmaske? Zeig mir dein Gesicht!»

Sie lachte, als habe er ihr ein lüsternes Angebot gemacht.

«Weißt du denn nicht, daß auch ich Schamgefühl habe – wenn es auch dem deinen entgegengesetzt ist.»

Sie sprang von dem Podium herunter und stellte sich dicht vor ihn hin. Da er den Kopf wegwandte, hob sie sein Kinn mit ihrem Zeigefinger hoch und zwang ihn, ihr weiterhin in die Augen zu sehen.

«Man sagt mir, du hast gestern gebettelt auf den Stufen der Kirche unserer Lieben Frau. Ist das wahr?»

«Es ist wahr, Königin.»

«Wie ich hörte, hat man dir viele Almosen gegeben. Haufenweise, stimmt das? Die ganze Stadt kam gerannt, Arm und Reich, um dich zu beschenken.»

Er nickte.

«Wieviel hast du bekommen?»

«Viel», sagte er, «gegen Abend waren es fünf Säcke voll.»

«Gold und Juwelen?»

«Auch das.»

Die Königin wandte ihm plötzlich den Rücken zu und sagte fast unhörbar:

«Sie lieben dich, nicht wahr?»

Er schwieg.

«Warum lieben sie dich? Erkläre es mir!»

«Ich weiß es nicht.»

«Aber ich weiß es», sagte sie plötzlich hart.

«Du wirst schweigen, Königin – aus Großmut.»

«Großmut...» wiederholte sie erstaunt. Sie ging langsam um ihn herum und stellte sich hinter seinen Rücken.

«Du meinst», flüsterte sie ihm ins Ohr, «ich soll dir wenigstens diese eine Täuschung lassen. Du hast Angst, daß ich dir dein letztes Täubchen schlachte. Meine Zunge ist das Messer, und jetzt schneide ich ihm den Kopf ab: Sie haben es auf meinen Befehl getan.»

Sie umarmte ihn von hinten und drückte ihren nackten Leib an den seinen.

«Nein, nein», hauchte sie, «es ist nicht wahr. Ich habe gelogen. Keine Angst, ich tue dir nichts. Ich bin müde. Ich bin durstig. Ich bin krank. Hilf mir! Hilf mir noch dies eine Mal, du hast es geschworen!»

«Dir kann niemand helfen, Königin. Nicht einmal du selbst.»

Plötzlich ließ sie sich zu Boden gleiten, umklammerte sein Bein und bedeckte seinen Fuß und sogar die Krücken mit den Küssen ihres stählernen Mundes. Dabei schluchzte sie:

«Du könntest es! Du, du allein kannst mir helfen. Gib mir irgend etwas von diesen Almosen! Teile sie mit mir! Sei barmherzig! Ich friere so. Ich bin so allein.»

Er blickte auf sie hinab, wollte die Elfenbeinhaut ihres kahlen Kopfes berühren, zog aber die Hand wieder zurück.

«Sei nicht grausam! Du hast mich einst geliebt» – sie schrie es fast – «ich bitte dich auf meinen Knien. Siehst du, ich habe noch niemals einen Menschen angefleht, aber nun flehe ich: Gib mir das kleinste, das wertloseste all der Geschenke, die du bekommen hast. Laß mich ein einziges Mal teilhaben an etwas, das umsonst gegeben wurde!»

Eine Weile war nur ihr krampfhaftes Schluchzen zu hören, dann sagte er ruhig:

«Du hast zu viel genommen, Königin, als daß du jetzt noch empfangen könntest. Aber du kannst mir nichts mehr nehmen, und ich kann dir nichts mehr geben, denn ich habe alles verschenkt.»

Sie sprang auf und trat zurück.

«Wem?»

Der Bettler lächelte, und sein verwittertes Gesicht sah beinahe jung aus.

«Den Armen. Wem sonst?»

Sie wandte sich langsam ab und setzte sich auf den Boden, den Rücken gegen das Podest. Er beobachtete sie. Sie kroch in sich zusammen, als ob sie fröre, und schaukelte eine Weile ihren Oberkörper vor und zurück.

«Die Armen», sagte sie bitter, «immer diese Lückenbüßer der Nächstenliebe! Kannst du mir erklären, womit sie dieses göttliche Privileg verdient haben? Warum sie im Himmel und auf Erden derartig bevorzugt werden? Wie leicht das für euch ist, für dich, für Gott, für alle euresgleichen! Als ob es kein größeres Elend gäbe als die Armut! Was werden sie sich davon kaufen, deine Armen? Sie werden sich für ein paar Tage die Bäuche vollschlagen oder sich in der nächsten Kneipe besaufen und, was ihnen übrigbleibt, mit meinen Huren verplempern. Und dann wird es sein, als hätten sie nie etwas bekommen. Weißt du nicht, daß Armut unheilbar ist?»

«Ja», antwortete er, «wie ein fehlendes Bein.»

Da sie nichts erwiderte, fragte er:

«Was hättest du damit getan?»

«Ah, ich!» sagte sie, und ihre Stimme klang

zornig, «ich bin ja nur eine Königin! Weißt du, was ich getan hätte? Ich hätte dein Almosen an meinem Leib getragen, ich hätte mich daran gewärmt, es hätte in meiner Dunkelheit geleuchtet.»

«Arme Königin!» sagte er.

Sie schaute nach ihm hin, aber sein Gesicht war so undurchdringlich wie ihre stählerne Maske. Sie stand auf.

«Die Kälte ist nicht in mir», rief sie in den dunklen Saal hinein, «ich bin ein Stern aus feuerflüssiger Lava. Aber der Weltraum um mich ist leer und kalt. Und in meiner Umarmung wird alles zu Asche.»

Das Echo warf ihre Worte zurück und wiederholte sie ferner und ferner. Der Bettler wartete, bis es still war, dann sagte er leise:

«Zwei Dinge habe ich behalten. Du kannst eines davon wählen.»

Sie näherte sich zögernd. Von neuem hüllte ihn der Geruch von heißem Metall ein.

«Zeig her!» flüsterte sie.

«Hier, meine hölzerne Bettelschale» – er holte sie aus seiner zerlumpten Jacke hervor – «ich hatte sie vor langer Zeit verloren. Jetzt hat man sie mir zurückgebracht.»

Er hielt sie ihr mit ausgestrecktem Arm hin. Die Schale war vom Gebrauch abgenützt. Kaum noch leserliche Worte waren auf ihrem Rand eingebrannt. Die Königin entzifferte: *Geduld und Demut.* Sie schüttelte den Kopf.

«Nicht für mich. Sie gehört dir. Das andere?»

Der Bettler steckte die Schale sorgfältig wieder weg und zog aus dem Halsausschnitt seines Hemdes ein Kettchen hervor, an dem ein goldenes Medaillon hing. Es hatte die Gestalt einer kleinen Monstranz, in deren Mitte sich eine unregelmäßig geformte Glasperle befand. Ein Tropfen einer dunklen Flüssigkeit zitterte in ihrem Inneren.

«Ich weiß nicht, was es ist», sagte der Bettler, «aber vielleicht spendet es Segen.»

Mit einer jähen Bewegung riß sie ihm das Kettchen vom Hals, dann stand sie lange reglos und starrte die Perle an.

«Endlich kommt die Antwort», flüsterte sie. Dann begann sie zu kichern, immer heftiger und heftiger, bis sie sich schließlich wie eine Besessene schüttelte und gellend lachte und schrie. Unvermittelt brach ihr Gelächter ab, sie kletterte auf das Podest.

Der Bettler sah zu ihr hinauf.

«Warum lacht die Königin?»

«Ich lache über einen Witz Gottes! Er ist ein großartiger Witzbold, wußtest du das? Diese Perle hat mir einst der Teufel geschenkt, als ich noch an ihn glaubte. Ich war damals ein Kind. Ich habe versucht, sie loszuwerden vor langer Zeit. Ich habe sie in einen kochenden Vulkan geworfen. Jetzt kehrt sie zu mir zurück – wie zu dir deine Bettelschale.»

«Und was ist es?»

Sie setzte sich auf ihren Maschinenthron und räkelte sich lüstern.

«Kein Segen, mein armer Freund. Jedenfalls nicht so, wie du es meinst. In dieser kleinen gläsernen Hülle steckt etwas, das nicht in diese Welt gehört und deshalb diese Welt vernichten kann. Dies winzige Tröpfchen genügt, um alles Leben auf Erden erlöschen zu lassen. So zerbrechlich ist die Schöpfung, daß es genügt, diese Perle zu zerbrechen.»

Sie ließ das Medaillon am Kettchen vor sich baumeln und betrachtete es mit brennenden Augen.

«Es nimmt die Fruchtbarkeit von der Erde. Kein Schoß wird mehr gebären, und jeder Same wird sterben. Und wenn alles unfruchtbar geworden ist, dann wird auch das Menschengeschlecht verschwinden. Vielleicht wird es einen letzten Menschen geben, vielleicht wird er sehr alt werden, vielleicht wird er sogar der sein, der endlich das Geheimnis der irdischen Unsterblichkeit entdeckt hat. Er wird allein sein und nach dem Tod rufen, der nicht mehr kommt. Und er wird das letzte Kapitel im Buch der Menschheit schreiben, und das wird so lauten: Am Ende vernichtete der Mensch Himmel und Erde. Und die Erde war wüst und leer, und es war finster auf der Tiefe. Und der letzte Mensch schrie: Es werde Licht! Aber es blieb dunkel. So ward aus einem Abend ohne Morgen die letzte Nacht.»

Sie ließ das Medaillon am Kettchen um ihren Finger wirbeln. Eine Weile war es still, dann sagte sie:

«Jedenfalls danke ich dir für dein Geschenk.»

Der Bettler fiel zu Boden und blieb wie tot liegen. Sie betrachtete ihn. Das grelle Scheinwerferlicht funkelte auf ihrer stählernen Maske.

«Wirst du es tun?» fragte er, und die Zähne schlugen ihm aufeinander.

«Da ich es habe», antwortete sie, «werde ich es tun.»

«Wann?»

«Wenn der Augenblick gekommen ist.»

«Kann dich etwas davon abhalten?»

Sie hörte auf mit dem Kettchen zu spielen und überlegte eine Weile.

«Liebst du mich?» fragte sie dann.

«Das kann ich nicht, dich kann niemand lieben.»

Sie streichelte mit der Hand zärtlich über ihren Elfenbeinkörper.

«Und Gott?»

«Auch Gott nicht. Sonst wärst du nicht, was du bist.»

Die Königin ließ ein kleines spöttisches Lachen hören.

«Ist er denn auch ein so schlechter Liebhaber, daß er so rasch aufgibt?»

Der Bettler riß sich die Papierkrone vom Kopf und zerknüllte sie.

«Du lästerst Gott!»

«Könnte es nicht sein», antwortete sie, «daß Gott mich lästert?»

Der Bettler versuchte mühsam, sich wieder aufzurichten. Mehrmals glitten seine Krücken aus, und er stürzte wieder zu Boden. Als er endlich aufrecht stand, sagte er:

«Wolle mich nun entlassen, Königin.»

«Noch nicht», antwortete sie sanft. «Ich möchte noch etwas von dir wissen. Du als einziger hast mir standgehalten, auch jetzt. Du bist nicht verschwunden, du bist Wirklichkeit geblieben. Du hast dich nicht umgebracht. Wie konntest du das?»

Er wußte nichts zu erwidern. Schließlich sagte er:

«Gott hat mir geholfen.»

«Ja, ja», sagte sie ein wenig ungeduldig, «ich weiß, daß du fromm bist. Ich weiß, daß du leidest. Und ich weiß, daß ich unfähig bin zu leiden. Das meinst du doch, nicht wahr? Darum möchte ich dir jetzt mein Geheimnis anvertrauen – dir ganz allein. Du sollst es von nun an mit dir herumschleppen. Und ich bin es auf diese Weise los. Du zitterst?»

«Du bist entsetzlich, Königin!»

«Nicht entsetzlicher als dein Gott», antwortete sie. «Aber ich werde euch jetzt beide entlassen, ihn und dich, der du dich so beharrlich mit ihm verwechselst. Ich werde diese Stadt und dieses

Reich aus meinem Bett entlassen, in dem sie verkohlt sind. Ich wende mich einem besseren Beischläfer zu, einem erfahreneren, einem, der meiner Herausforderung gewachsen ist. Ich werde das Nichts umarmen und in meinen Schoß ziehen, und es wird mich nicht enttäuschen, da es unendlich ist. Ihr dürft mich vergessen, weil ich euch vergesse.

Hör zu, ich träumte letzte Nacht von ihm. Ja, ich träumte, daß Gott und der Teufel miteinander um mich kämpften. Es war ein sehenswertes Schauspiel, glaub mir. Sie kämpften die ganze Nacht, und ich sah von meiner Loge aus zu. Es interessierte mich wirklich, wer siegen würde. Wer, glaubst du, behielt die Oberhand, als endlich der Morgen anbrach? Du schweigst? Du wirst doch noch weise, mein armer Freund! Ich will es dir sagen. Gott natürlich.»

Der Bettler nickte. Die Königin nickte ebenfalls.

«Gott blieb Sieger. Das war vorauszusehen, nicht wahr?» Sie machte eine Pause. Dann schloß sie: «Nur daß ich da nicht mehr wußte, wer von den beiden zu Anfang Gott gewesen war. Einer war nur das Spiegelbild des anderen. Aber ich habe vergessen, wer.»

Da der Bettler nicht mehr antwortete, sagte sie: «Jetzt kannst du gehen.»

Als sie allein war, saß sie lange Zeit reglos und blickte erst auf, als der kleine, gebückte Mann im grauen Anzug vor ihr auftauchte und leise hustete.

«Lösch die Lichter aus!» befahl sie ihm. «Alle!»

Und nach einem kurzen Augenblick des Überlegens fügte sie hinzu:

«Und für immer.»

«Was willst du tun?» fragte er mit heiserer Stimme.

Sie erwiderte: «Warten.»

Der graue Alte blieb stehen und schaute sie an.

«Worauf?»

Sie antwortete nicht mehr. Da ging er fort.

Eine nach der anderen erloschen die Lampen des Bordellpalastes, bis er und mit ihm die ganze Hurenstadt im Dunkel verschwand.

DER WELTREISENDE BESCHLOSS, SEINE Wanderung durch die Gassen dieser Hafenstadt zu beenden. Und damit beendete er zugleich seine Fahrt durch die Slums und Paläste aller anderen Städte, durch Dörfer, Zeltlager und Einsiedeleien, durch alle Wüsten und Urwälder der Erde. Er setzte sich auf die schmutzigen Steinstufen, die zu der Tür eines schmalbrüstigen, hohen Hauses emporführten – einem chinesischen Bordell offenbar, nach der Ampel über der Tür zu schließen – faltete die Hände über dem Griff seines Spazierstocks, stützte das Kinn darauf und starrte, ohne etwas zu sehen, auf die vorübertosenden Automobile und Straßenbahnen. Von einer Sekunde zur anderen war ihm jegliche Neugier, jegliche Lust abhanden gekommen, seine große Reise fortzusetzen. Er versprach sich nicht das mindeste mehr davon.

Er hatte alle Wunder und Geheimnisse der Welt gesehen. Er kannte die schwebende Mondsteinsäule im Tempel von Tiamat und die gläsernen Türme von Manhattan; er hatte vom Blutgeisir auf der Insel Hod getrunken und mit dem blinden Herrn der Bibliothek von Buenos Aires über das Wesen des Schicksals gesprochen; er hatte den Ring der Königin Mrabatan, der Gewalt über das Erinnern der Menschheit verleiht, an seinem Finger getragen und war – wozu kein Fremder je zuvor Zutritt erhalten hatte – über die Flammenstraßen der Stadt Eldis gewandert; man hatte ihn in stählerner Sänfte durch die Maschinenhallen von Detroit getragen, und es war ihm gelungen, in den Irrgängen der Großen Kloake von Rom zu nächtigen, ohne den Verstand zu verlieren über den Erscheinungen der Vergangenheit und der Zukunft, die dort allnächtlich ihre gespenstischen Schlachten schlagen. Unzähliges hatte er gesehen, aber all diese Geheimnisse gingen ihn nichts an. Sein eigenes war nicht darunter gewesen. Und da er das seine nicht gefunden hatte, waren ihm auch alle anderen stumm geblieben.

Hätte er diese Reise nur niemals begonnen, so wäre ihm wenigstens der Traum verblieben, daß es irgendwo auf der Welt *das Zeichen* gäbe, das ihm galt, das zu ihm redete in einer Sprache, die nur er verstand, das der Schlüssel zum Rätsel seines eigenen Daseins war. Nun aber mußte er sich eingestehen, daß nichts dergleichen existierte. Wenn es der Wahrheit entsprach, daß diese Erde nur die unendlichen Formen und Kräfte des Alls widerspiegelt wie eine blanke Silberkugel, so war es also ein Irrtum zu glauben, daß des Menschen Heimat das Universum sei, da es ja nichts gab, was sein Wesen mit diesem verband. War er aber von Anbeginn und für immer ein Fremdling in ihm, so war das Universum zu klein – viel zu klein!

Der Reisende erschrak ein wenig und blickte hinter sich, weil ein dunkelhäutiges, asiatisches Mädchen in schmucklosem, graublauen Kleid ihn mit leiser, demütiger Stimme fragte, ob es ihr erlaubt sei, den erhabenen Herrn zu bitten, die unzulänglichen Dienste ihrer unwürdigen Person anzunehmen. Dabei wies sie einladend auf ein kleines, flaches Gefährt, welches sie durch die Tür des Hauses bis nahe an den oberen Rand der Steinstufen geschoben hatte. Der Reisende war ein wenig verlegen, auch verärgert wegen des Schreckens, den ihm das Mädchen verursacht hatte, und erklärte barsch, daß der Besuch eines Freudenhauses nicht in seiner Absicht läge.

Das Mädchen, sehr klein und von kindhafter Zartheit, starrte ihn aus Neumondaugen an, schien indessen nicht zu verstehen, sondern verneigte sich tief und verharrte so, wobei sie mit schüchterner Gebärde weiterhin einladend auf die bequemen, schöngestickten Kissen ihres Wägelchens wies. Der Reisende, dem es schon leid tat, das Mädchen möglicherweise gekränkt zu haben, nahm seufzend auf dem Gefährt Platz und ließ sich ins Innere des Hauses schieben.

Sie bewegten sich zunächst durch eine langgestreckte Halle, deren Wände, Böden und Decken mit verschiedenfarbig gemasertem, blankpoliertem Stein verkleidet waren. Die dazu verwendeten Stücke schienen sorgsam nach einem gemeinsamen Merkmal ausgewählt, denn allenthalben lud das feine Geäder die Vorstellungskraft des Betrachters ein, in die zufälligen Formen Gesichter und Fratzen hineinzusehen, Pflanzenornamente, Götter und Dämonen, Stelzentiere, brennende Tänzerinnen, Insektenreiter in langer Prozession, ganze Landschaften aus Leibern, tobende Meere voller Schiffe und Ungeheuer, Eisblumenpaläste und von Riesenmoos überwucherte Ruinenstädte. Aber die Aufmerksamkeit des Reisenden war noch immer durch jene tiefe Unlust gelähmt. Er sah noch nichts.

In den nächsten Sälen indessen wachte sein in sich verschlossener Sinn nach und nach auf und begann zögernd und noch ungläubig, das Alphabet der Zeichen zu entziffern, die er selbst erschuf und doch auch wieder nicht erschuf. Die bisher flächenhaften Gebilde nahmen hier mehr und mehr räumlich-plastische Gestalt an. Bizarre Felsgebilde, Stalagtiten und Stalagmiten, Wurzeln, Baumstrünke, Lavagerinsel und Klumpen geschmolzenen Metalls standen und lagen hier umher, welche die absichtslosen Kräfte der Natur in immer vollkommenerer Weise zu den überraschendsten und zugleich überzeugendsten Gestalten geformt hatten. Es war schwer zu glauben, daß alle diese Dinge allein durch die willkürlichen Spiele des Zufalls entstanden sein sollten, dennoch war es keine andere Kraft, als die im Betrachtenden selbst wirksame, welche aus diesen beliebigen Formen die erstaunlichsten Kunstwerke schuf. Mehr und mehr verwischte sich dem Reisenden die Grenze zwischen seinem Inneren und dem Äußeren, zwischen dem, was er hinzuerschuf, und dem, was ihm tatsächlich vor Augen lag, bis er schließlich das eine vom anderen nicht mehr unterscheiden konnte und seinen eigenen Geist als ein Äußeres und die Gegenstände als sein Inneres erlebte. Unversehens war ihm, als sähe er sich selbst, seine eigene Gestalt, wie sie da auf dem Wägelchen kauerte, von innen und außen gleichzeitig, als sei auch sie nichts anderes als eine zufällig entstandene Form, in die sein schaffender Geist ein Wesenhaftes hineinsah. Doch eben dadurch war dieses Wesenhafte erst Wirklichkeit. Er erschrak darüber, doch war es ein lustvolles Erschrecken.

Von diesem Augenblick an, da er endlich zu sehen begonnen hatte, hätte er nicht mehr zu sagen vermocht, ob das, was er schaute, überhaupt noch von dem abhing, was er vor sich hatte. Ihm schien vielmehr, als würden von Saal zu Saal die äußeren Gegenstände immer einfacher und allgemeiner, doch nun, da die geheime Kraft in ihm einmal ihre Schwingen entfaltet hatte, hob sie sich höher und höher und verwandelte den Anblick aller Dinge. Aus einem welken Blatt, einem weißen Ei, einer Vogelfeder traten ihm Welten um Welten entgegen. Und er war mit ihnen allen zutiefst verwandt, er war ihr Schöpfer und ihr Geschöpf zugleich. Er begriff, daß er nun, da er ganz aufgab, was er bisher Wirklichkeit genannt hatte, erst begann, sich der Wirklichkeit zu nähern.

Als seine schweigsame Begleiterin ihn vor eine Wand brachte, die von dunklem, fast schwarzem Lapislazuliblau war, ergab sich ihm folgender Anblick: Durch zahllose, verschieden große Ausschnitte in dieser Wand schaute er räumlich in ebensoviele verschiedene Miniaturlandschaften von unbeschreiblicher Grazie und Zierlichkeit. Da gab es Berge, Seen und Wasserfälle wie blautaftene Bänder, deren Stürzen und Schäumen er in Bewegung sah. Die winzigen Kaskaden fielen und rieselten über Felsklippen und zwar maßstabsgetreu, also sehr langsam. Auch schien die Beleuchtung der Szenerien zu wechseln. Mondlicht, das durch ziehende Wolken verdunkelt und wieder erhellt wurde, Morgendämmerungen und violette Abende. Und wo das Sonnenlicht auf den Dunst zerstäubenden Wassers traf, zeigten sich Regenbogenspiele. Und schließlich wurde dem Reisenden bewußt, daß er das silberne Rauschen und Brausen der Wasserstürze sogar hörte, wenn auch freilich sehr zart und fern. Je inniger er in dieses Klingen hineinlauschte, desto deutlicher vernahm er eine Art von gläserner, süßer Musik.

«Was ist das?» fragte er und erschrak abermals

ein wenig, diesmal über seine eigene Stimme, die ihm laut und roh geklungen hatte.

Das Mädchen lächelte und erwiderte sanft: «Was der erhabene Herr vernimmt, sind zarte Keime seines eigenen zukünftigen Daseins.»

Der Reisende verstand diese Antwort nicht, fühlte indessen kein Bedürfnis, weiter zu fragen, sondern überließ sich wieder den wehenden Klängen. Auf eine ihm selbst ganz neue Weise erfüllte sich dabei sein Herz mit einer fast schmerzenden Zärtlichkeit, ja, mit Wollust.

«Also», flüsterte er, «kann nur ich diese Musik hören?»

«Außer dir, Herr, und mir kein Sterblicher», antwortete das Mädchen, die Lippen dicht an seinem Ohr.

Er blickte sie an. «Wieso auch du?»

«Ich», sagte das Mädchen so leise, daß er es kaum hören konnte, und schlug die Augen nieder, «bin niemand.»

Viel später hielten sie vor einer hellgelben, fast weißen Wand, auf welcher sich vier runde Scheiben befanden, drei davon in einer Reihe nebeneinander, die vierte ein wenig höher.

Die erste dieser Scheiben vermittelte dem Betrachter den Eindruck, als blicke er senkrecht von oben auf eine bewegte Wasserfläche. Ununterbrochen zogen wie weiße unregelmäßige Zeilen silberne Wellenkämme vorüber. Diese wurden quer von einem schwarzen Aal durchschnitten, der sich schlängelnd vorwärts zu bewegen schien und doch immer in der Mitte des Bildes blieb. Staunend beobachtete der Reisende das immer wechselnde und doch immer gleiche Schauspiel. Schließlich wollte er sich der nächsten Scheibe zuwenden, da ertönte von der ersten her eine raunende Stimme, nicht eigentlich menschlich, sondern so als bilde sich aus dem Wellenrauschen etwas wie Worte:

«Mich erschuf das Meer.»

Diese unerwartete Mitteilung ließ den Reisenden neuerlich ein wenig erschrecken. Er fühlte, daß etwas in seinen Tiefen deren Sinn verstanden hatte, allein, es gelang ihm noch nicht, sich dieses Verständnis zu Bewußtsein zu bringen. Er wandte sich mit fragendem Gesicht seiner Begleiterin zu, doch diese neigte nur lächelnd den Kopf. Er fühlte, daß er auf eine direkte Frage keine Antwort bekommen würde, darum schwieg auch er und richtete seine Aufmerksamkeit auf die zweite Scheibe, die rechts neben der ersten hing.

Zunächst erkannte er darauf etwas wie eine verschneite Bergkuppe, welche nach unten zu in immer dichterem Nebeldunst verschwamm. Erst nach längerer Betrachtung gewahrte er, daß der Berg vielmehr ein ihm zugewandtes menschliches Haupt war, jedoch mit leicht nach unten geneigtem Antlitz. Der obere Teil des Hauptes war ungewöhnlich hoch, und von ihm floß langes schneeweißes Haar zu beiden Seiten hernieder.

Das Antlitz selbst schien allerdings das eines Kindes zu sein, nicht auszumachen, ob Knabe oder Mädchen. Die Stille, die von diesem Gesicht ausging, war so tief, daß der Beschauer sie nicht einmal durch ein Schlagen seiner Wimpern unterbrechen mochte. So verharrte er reglos, bis er schließlich, ganz ohne Stimme, die Worte vernahm:

«Ich bin Greis-Kind.»

Abermals rechts davon und in gleicher Höhe hing die dritte Scheibe. Als der Reisende sich ihr zuwandte, war ihm, als blicke er gleichsam durch eine senkrechte Glaswand in eine golden-dämmernde Unterwasserlandschaft mit hin- und herwallenden Blattpflanzen. Im Vordergrund sah er den Kopf eines Bibers, von links unten nach rechts oben vorstoßend und hin und wieder Luftperlen aus seinen Nasenlöchern sprudelnd, so als sei er eben vor dem Auftauchen. Nachdem der Reisende auch diese Szene lange Zeit versunken betrachtet hatte, vernahm er aus der uralten Golddämmerung die Worte:

«Ich werde den See erschaffen.»

Während all der Zeit, die er nun schon in diesem, wie es schien, unendlich großen Hause zugebracht hatte, war eine Veränderung mit dem Reisenden vorgegangen, die er erst jetzt zu bemerken begann. Was er schon mehrfach und nun auch vor diesen Bildscheiben wieder als eine Art zarten Schreckens erfahren hatte, war mittlerweile zu einem bleibenden Zustand, einer leichten Entrücktheit geworden. Diese Empfindung war ganz neu und ungewohnt für ihn, und doch hatte er keine Bedenken, sich ohne Rückhalt auf sie einzulassen, denn ihm war, als würde auf sanfte Weise in ihm etwas zurechtgerückt und ins Gleichgewicht gebracht.

Die vierte Scheibe hing wiederum rechts, jedoch um einen vollen Tafeldurchmesser über den anderen. Auch war der Rand dieser Scheibe nicht rund, sondern ungleichmäßig gewellt und geschwungen, scheinbar regellos wie ein ausgewaschener Stein. Auf der Fläche selbst war nichts zu sehen, sie war leer.

Der Reisende betrachtete sie dennoch mit der gleichen Aufmerksamkeit, die er den drei vorigen gewidmet hatte, doch war das einzige, was er nach geraumer Weile gewahrte, ein nicht näher zu beschreibendes ruhendes Wechseln, etwa so, als steige und falle Rauch in sich selber. Zugleich überkam ihn eine gewisse Bangigkeit, denn er fühlte, daß gerade jene neu in ihm erwachte Kraft von der Leere dieses Bildes eingesaugt wurde, daß sie wie in einen bodenlosen Abgrund wirbelte, ohne irgend etwas zu bewirken. Dennoch hielt er stand und wartete geduldig darauf, daß auch diese Scheibe zu ihm spräche, doch vergeblich. Schließlich griff er nach der Hand des Mädchens, als wolle er sich festhalten, und flüsterte: «Warum schweigt es?»

«Es hat schon gesprochen», antwortete sie.

«Warum habe ich es nicht gehört?»

«Du hast es wohl gehört, Herr. Aber du wirst es erst in deiner Erinnerung finden.»

«Ich wünsche aber, es jetzt zu hören!»

«Herr», sagte das Mädchen sehr leise, «wie könnte das geschehen, solange du es wünschst? Nichts wünschen heißt, keine Unterschiede machen. Keine Unterschiede machen heißt, das Unsichtbare schauen und das Schweigende vernehmen. Warum also willst du mich unglücklich machen?»

Da schämte sich der Reisende, ohne recht zu wissen, wofür.

«Du weißt viel», sagte er, «woher?»

Das Mädchen lächelte. «Weil ich beschämenderweise als die unwürdige Besitzerin dieser Sammlung von Unbesitzbarem gelte.»

Der Reisende schwieg und betrachtete sie lange von der Seite. Sie ließ ihn gewähren oder bemerkte es nicht, da sie die Augen gesenkt hielt. Er bewunderte die ungewöhnlich vornehme Linie ihrer Stirn, ihrer Nase, ihrer Lippen. Erst jetzt ging ihm die rare Schönheit ihrer Züge auf. Nach einer Weile hielt sie sich den Ärmel vors Gesicht und bat, ihm nunmehr ihre eigentlichen Schätze zeigen zu dürfen, denn alles bisherige sei doch der Beachtung des Herrn kaum wert gewesen. Darauf erhob sich der Reisende von dem kleinen Gefährt, verneigte sich, wenn auch ein wenig ungelenk, ebenso tief vor ihr, wie sie es bisher vor ihm getan, und antwortete, wenn die überaus gütige Herrin der Zeichen und Wunder sich nicht zu gut sei, ihm, dem ungebildeten Barbaren, noch geheimere Kostbarkeiten zu zeigen, so wolle er dies Angebot mit Ehrerbietung und Dankbarkeit annehmen, nur müsse er darauf bestehen, nicht länger von ihr gefahren zu werden, sondern nun, da er wisse, welch vornehmer Dame Gast er sei, erachte er es bereits für die höchste, wenngleich unverdiente Auszeichnung, hinter oder gar neben ihr gehen zu dürfen.

Das Mädchen bestritt dies und verneigte sich, der Reisende verneigte sich und beharrte darauf und behielt schließlich die Oberhand. Das kleine Gefährt blieb stehen, das Mädchen nahm den viel größeren Gast zart, nur mit den Fingerspitzen, bei der Hand, und so schritten sie schweigend nebeneinander den inneren Sälen zu, jungfräulichen Kontinenten und morgendämmernden Ozeanen entgegen.

An diesem Abend konnte der alte Seefahrer den ununterbrochenen Wind nicht mehr ertragen. Seine Augen waren vom Salz und dem unerhörten Glanz immer fernerer Horizonte halb erblindet. Doch das war ohne Bedeutung, da ohnedies Land niemals in Sicht kam. Der unaufhörliche Wind war es, der seinen Entschluß reifen ließ, den Mastkorb für immer zu verlassen.

Er barg das Fernrohr aus schwerem Messing sorgsam zwischen Brust und Jacke und begann, den endlosen Mast abwärts zu klettern. Bisweilen hielt er inne, um wieder zu Atem zu kommen und seine klammen Finger warm zu reiben. Dabei spähte er prüfend in die Tiefe, ob sich das Deck schon zeige. Doch die riesenhaften Segel verhinderten hier jede Sicht. Er konnte weder unter sich noch über sich, noch nach irgendeiner anderen Seite anderes wahrnehmen als weißes, sich bauschendes Tuch, dazwischen Taue, Seile, Stricke, Schnüre und Fäden jeder Dicke oder auch Feinheit, in denen der Wind sang. Der Seefahrer konnte sich nicht entsinnen, ein solches Gewirr von Takelwerk auch bei seinem Aufstieg gesehen zu haben. Dabei wurde ihm bewußt, daß er sich überhaupt an keinen Aufstieg erinnerte, sondern nur noch an die langen, einsamen Zeiten im Ausguck.

Zu allem Überfluß begann es auch schon, rasch dunkel zu werden. Das würde den Abstieg noch mehr erschweren. Bei der Höhe, in der er sich noch immer befand, würde er möglicherweise erst tief in der Nacht das Deck erreichen. Dort würde er wahrscheinlich nur noch eine Wache antreffen. Der Kapitän, dem er seine Klage vorzubringen gedachte, mochte um diese Zeit wohl längst schlafen, stehend an das Innere seiner Kajütentür gelehnt, wie man munkelte, denn er litt an Herzbeschwerden. Man durfte ihn dann nicht wecken.

Der alte Seefahrer begann ernstlich zu überlegen, ob es nicht ratsam sei, den Besuch beim Kapitän auf den nächsten Tag zu verschieben und lieber wieder zum Mastkorb empor zu klettern – der nun freilich auch schon himmelweit über ihm lag –, als eine unerwartete Begegnung seine schwerfälligen Gedanken vollends zum Stehen brachte.

Über die Rahe des größten Segels, tänzelnd und schwankend und dem senkrechten Weg des Seefahrers waagrecht entgegenkommend, näherte sich ein Seiltänzer in einem bunten, sehr engen Trikot, auf dem Kopf eine rote Perücke mit drei grotesken Haarschöpfen und in den Händen eine schwere, lange Balancierstange. An den Enden dieser Stange hingen wie Waagschalen zwei große

Körbe, in welchen je ein mächtiger Vogels- oder Engelsfittich lag. Der Seiltänzer schien übrigens von der Begegnung ebenso überrascht wie der alte Seefahrer.

Nun fügte es sich, daß ihrer beider Wege sich zur gleichen Zeit an jener Stelle trafen, wo die Rahe den Mast kreuzte, und keiner am anderen vorbei konnte. Einer mußte nachgeben und dem anderen den Vortritt lassen, aber keiner machte Anstalten, das zu tun.

«Woher kommst du?» fragte der Seefahrer.

Der Seiltänzer blickte ihn eine Weile nachdenklich an, dann antwortete er: «Ich bin vom Himmel gefallen. Sie verstehen, lieber Herr: Ich bin also kein Meister.»

«Und wo willst du hin?» fragte der Seefahrer.

«Dort hinüber», erwiderte der Seiltänzer und zeigte mit einer Kopfbewegung auf die andere Seite der Rahe. «Und darf man nun auch erfahren, woher Sie kommen, lieber Herr?»

Der Seefahrer wies stumm mit dem Daumen nach oben.

«Aha!» rief der Seiltänzer, «also wollen Sie vermutlich dort hinunter.»

«Ja», sagte der Seefahrer, der nun plötzlich wieder fest dazu entschlossen war, «geh mir aus dem Weg!»

«Vernünftiger wäre es», meinte der Seiltänzer, «wenn Sie mir Platz machten, bester Herr. Sie sehen ja selbst, ich kann nicht mehr zurück.»

Tatsächlich hatte er es auf irgendeine Weise fertig gebracht, die Balancierstange auf die andere Seite des Mastes zu bringen, den er nun mit beiden Armen umklammert hielt.

Der alte Seefahrer, welcher ein wenig höher hing, stemmte seinen Fuß gegen die Brust des Seiltänzers und trat mit ganzer Kraft, doch vergebens. Der Seiltänzer kicherte.

«Nicht doch!» rief er, «so lassen Sie doch diesen Unsinn, lieber Herr! Was wollen Sie denn?»

«Einer von uns muß nachgeben», sagte der alte Seefahrer grimmig, «und ich bin das bestimmt nicht.»

«Ich auch nicht», entgegnete der Seiltänzer und lächelte zierlich, «was machen wir da?»

«Kämpfen!» sagte der alte Seefahrer.

Also packten sie einander und begannen zu ringen. Doch schon bald hielten sie sich gegenseitig mit derart eisernem Griff umklammert, daß keiner von beiden mehr die kleinste Bewegung machen konnte. Nachdem sie so eine Weile reglos ineinander verknäult abgewartet hatten, begann der Seiltänzer, dessen Lippen am Ohr des Seefahrers lagen, zu flüstern. Dieser antwortet, und so ging das Gewisper eine Zeit hin und her:

«Willst du mir das Kreuz brechen, Lieber?»

«Ich möchte wohl, aber du bist wie eine Schlange.»

«Bist du enttäuscht? Du hast ein anderes Kreuz gesucht.»

«In allen Nächten hab ich es gesucht am Himmel. Auf hundertvierundvierzig Fahrten um die Welt. Ich habe es nie gesehen.»

«Vielleicht waren deine Augen nicht gut genug?»

«Ich kenne alle Sterne, die größten und die kleinsten. Aber nicht das Kreuz. Darum will ich das deine brechen.»

«Wozu quälst du dich und mich? Es ist vergebens. In Wahrheit warst du dir nur zu schwer – dort oben, allein im Mastkorb. Du wolltest ein Gegenwicht am Himmel.»

«Und du, der du alles errätst, was suchst du?»

«Ich suche das Gleichgewicht.»

«Hast du es denn verloren? Hast du's besessen?»

«Es ist mein Beruf, es immerfort zu verlieren, um es immerfort neu zu gewinnen. Man nennt das Tanzen. Es zu besitzen, wäre mein Ende.»

«Warum kämpfen wir dann noch?»

Gleichzeitig gaben beide sich frei und schauten einander an. Es zeigte sich, daß der Seefahrer während des Handgemenges dem Seiltänzer die Balancierstange entrissen hatte, während jenem das Fernrohr aus schwerem Messing in den Händen geblieben war.

«Leb wohl, Bruder!» sagte der Seiltänzer lachend und begann, den Mast abwärts zu klettern.

«He, wie heißt du?» rief der andere ihm nach, doch der Seiltänzer war schon fort. Also machte der alte Seefahrer, die schwere Balancierstange in den Händen, schwankend und noch ohne Geschicklichkeit, sich auf dem waagrechten Weg über die große Rahe davon, wo er bald zwischen den riesenhaften weißen Segeln verschwand.

Unter einem schwarzen Himmel liegt ein unbewohnbares Land. Eine grenzenlose Wüste aus Bombenkratern, versteinerten Wäldern, verdorrten Flußbetten und endlosen Autofriedhöfen.

Mitten in dieser Wüste liegt eine Stadt ohne Menschen. Eine Stadt voller Schatten und schwarzer Fensterhöhlen, das Gerippe einer Stadt.

Mitten in dieser Stadt gibt es einen Jahrmarkt, dort ist die Stille am tiefsten. Die rostigen Gondeln des Riesenrades schwanken im kalten Wind, und die Karussellpferdchen sind ergraut vom Staub.

Nichts ist zu hören als das gleichmäßige Pochen eines riesigen fallenden Wassertropfens, immerzu, immerzu, gewaltig und beharrlich.

Oder ist es ein Herzschlag? Aber wenn es ein Herz ist, das da schlägt, wessen Herz ist es dann? Eines Menschen? Eines Tieres? Eines Engels vielleicht?

In der Mitte des toten Jahrmarkts steht ein Kind. Es steht vor einer Bude, die bunt bemalt ist mit unzähligen Figuren, die Gelächter, Rührung und Wunder verheißen. Nach einer Weile, da niemand es daran hindert, wagt es sich ins Innere der Bude. Dort findet es ein paar blankgewetzte Holzbänke vor einem geschlossenen, vielfach geflickten Vorhang, der im Halbdunkel leise vom Luftzug bewegt wird. Plötzlich strahlt das Rampenlicht magisch in den Falten empor. Das Kind setzt sich ganz hinten auf die letzte Bank und wartet.

Nach einer Weile wird eine Stimme hörbar. Sie kommt, scheint's, von hinter dem Vorhang und klingt ein wenig heiser, als habe sie lang nicht gesprochen oder als spräche sie zum ersten Mal.

«Damen und Herren!» sagt sie, «unsere Vorstellung wird sogleich beginnen, aber wir müssen Sie noch um ein klein wenig Geduld bitten. Unser Theater ist nicht wie andere Theater, es läßt sich nicht maschinell betreiben wie ein Dampfschiff, es gleicht vielmehr einem Dreimaster, der abhängig ist von Ebbe und Flut, vom Wind und den Strömungen des Meeres. Und, Damen und Herren, Sie müssen doch zugeben: Im Vergleich zur brutalen und stumpfsinnigen Zielstrebigkeit eines Dampfschiffs ist ein Dreimaster schön und sensibel, wenn auch natürlich etwas antiquiert wie alles Noble.

Was wir Ihnen zeigen, Damen und Herren, wird Sie weder klüger noch tugendhafter machen, denn unser Theater ist weder Schule noch Kirche. Das Unglück der Welt wird durch unsere Darbietung nicht vermindert – allerdings auch nicht vermehrt, das ist immerhin schon viel! Wir haben keinerlei Absichten, nicht einmal die, Sie zu betrügen. Wir argumentieren nicht. Wir wollen nichts beweisen, nichts anklagen, nichts aufzeigen. Ja, wir wollen Sie noch nicht einmal von der Wirklichkeit unserer Vorstellung überzeugen, falls Sie es vorziehen, sie für Phantasie zu halten. Es könnte scheinen, als brauchten wir Sie überhaupt nicht, Damen und Herren, doch dem ist nicht so.»

Es entsteht eine Pause, in welcher man hinter dem Vorhang erregtes Flüstern hört. Das Kind auf der letzten Bank hat das Kinn in die Hand gestützt und wartet.

«Da sind wir nun also», fährt die Stimme, jetzt wieder laut, fort, «Sie da unten und wir hier oben. Und Sie beginnen sich wohl allmählich mit dem guten Recht dessen, der Eintrittsgeld bezahlt hat, zu fragen, warum und wofür? Sie wollen wissen, Damen und Herren, warum unsere Vorstellung noch immer nicht beginnen kann? Ich kann Ihnen die erfreuliche Mitteilung machen: Niemand ist schuld.

Was unter den gegebenen Umständen solche Schwierigkeiten macht, das ist die Verkörperung. Unser Magier arbeitet bereits seit Stunden im Schweiße seines Angesichts und mit den stärksten Beschwörungsformeln von Agrippa bis Einstein, um die Gestalt hinter diesem Vorhang bis zur Sichtbarkeit zu verdichten. Dennoch ist sie bis jetzt nur erst zweidimensional und ständig in Gefahr, in ein Häuflein Buchstaben zu zerfallen. Vielleicht liegt es allerdings auch daran, daß erst noch so vieles zum Verschwinden gebracht werden muß, was aus früheren Vorstellungen übrig geblieben ist und nun die Bühne verrammelt. Wir sind auf Ihre Mitwirkung angewiesen, Damen und Herren. Wenn Sie also so freundlich sein wollen, uns zu helfen, so sagen wir Ihnen im Namen der Direktion herzlichen Dank. Geben Sie acht!

Ihre Aufgabe besteht darin, mit ganzer Kraft an einen Seiltänzer zu denken. Sehen Sie ihn? Hoch droben, zwischen zwei Masten, glitzernd und zartfüßig, mit nichts unter sich als einem Stückchen schwankenden Seils und dem Abgrund. Nein, Damen und Herren, kein Netz! Die Pflicht eines wahren Seiltänzers ist es, Kopf und Kragen aufs Spiel zu setzen. Den eigenen Kopf und Kragen, versteht sich, denn ein Seiltänzer ist schließlich kein General.

Aber wofür?

Er will von einer Seite des hochgespannten Seils auf die andere. Er könnte ganz bequem und gefahrlos auf der ebenen Erde hinübergehen, das brächte ihn ans gleiche Ziel – aber nein, er muß unbedingt den Weg über das Seil wählen. Warum?

Die Gage ist es gewiß nicht, sie ist gering. Für niemand ist sein Wagemut von Nutzen, am wenigsten für ihn selbst. Die Bewunderung des Publi-

kums wiegt wenig im Angesicht des drohenden Absturzes. Und überdies, was ein wahrer Seiltänzer ist, der erfüllt seine Pflicht auch, wenn niemand zusieht.

Und geht es ihm denn überhaupt darum, von der einen Seite auf die andere zu kommen? Sind nicht sogar die Seiten vertauschbar? Wofür also, bedenken Sie das bitte, setzt er seine sowieso schon fragwürdige Existenz aufs Spiel? Und das immer und immer wieder?»

In diesem Augenblick beginnt der zerlumpte, buntfleckige Vorhang sich langsam, ruckend und quietschend, zu öffnen.

«Bravo!» ruft die Stimme, «wir wissen nicht, Damen und Herren, wer von Ihnen allen dort unten soeben die richtige Antwort gedacht hat, aber durch ihn ist die Verkörperung gelungen. *Allez-hopp! E voilá!* Da ist er!»

Auf der Bühne im Halbdunkel steht einer, der einen großen, sonderbaren Hut aufhat. Er zeigt mit der linken Hand nach oben und mit der rechten nach unten. So steht er reglos ein Weilchen. Dann plötzlich tritt er an die Rampe, nimmt seinen Hut ab und verbeugt sich tief, fast bis zur Erde, vor dem Kind auf der letzten Bank.

«Danke!» sagt er, «das hast du sehr gut gemacht.»

«Wer bist du denn?» fragt das Kind.

«Der Pagad», antwortet der Mann, setzt sich auf die Rampe und baumelt mit den Beinen.

«Und was bist du?» fragt das Kind.

«Ein Magier», antwortet der Mann, «und ein Gaukler. Beides.»

«Und wie heißt du?» will das Kind wissen.

«Ich habe eine Menge Namen», antwortet der Pagad, «aber am Anfang heiße ich Ende.»

«Das ist ein komischer Name», meint das Kind und lacht.

«Ja», sagt der Pagad, «und wie heißt du?»

«Ich heiße bloß Kind», sagt das Kind verlegen.

«Vielen Dank jedenfalls», sagt der Mann mit dem Hut, «daß du mich dir vorgestellt hast. Dadurch kann ich mich dir nun vorstellen. Und damit ist die Vorstellung zu Ende.» Er zwinkert.

«Schon?» fragt das Kind. «Und was machen wir jetzt?»

«Jetzt», antwortet der Mann auf der Rampe und schlägt die Beine übereinander, «jetzt fangen wir etwas an.»

«Kann ich bei dir bleiben?» fragt das Kind.

«Man wird nach dir fragen», meint der Pagad ernst.

Das Kind schüttelt den Kopf.

«Wo wohnst du denn?» erkundigt sich der Pagad.

«Man kann nirgends mehr wohnen», antwortet das Kind. «Ich jedenfalls nicht.»

«Dann kann ich es auch nicht», meint der Pagad nachdenklich. «Was machen wir da?»

«Wir könnten zusammen losgehen», schlägt das

Kind vor, «und eine neue Welt suchen, wo wir beide wohnen können.»

«Eine gute Idee!» sagt der Pagad und setzt seinen großen, sonderbaren Hut auf. «Und wenn wir keine finden, dann zaubern wir uns eine.»

«Kannst du das denn?» fragt das Kind.

«Ich hab's noch nicht versucht», antwortet der Pagad, «aber wenn du mir dabei hilfst... Übrigens finde ich, du solltest doch einen richtigen Namen haben. Ich werde dich Michael nennen.»

«Danke», sagt das Kind und lächelt, «jetzt sind wir quitt.»

Dann verlassen sie die Bude, den Jahrmarkt, die Stadt. Unter dem schwarzen Himmel gehen sie, angelegentlich ins Gespräch vertieft, auf den Horizont zu und werden kleiner und kleiner. Sie halten sich gegenseitig an der Hand, und man weiß nicht genau: Wer führt wen?

HAND IN HAND GEHEN ZWEI EINE STRASSE hinunter: Eine große dunkle Gestalt, die eine kleine helle führt. Die große ist ein Dschin in langer schwarzbrauner Kutte. Sein kupfernes, grünspanüberzogenes Gesicht blickt schwermütig unter der Kapuze hervor wie das eines uralten Affen. Seine Hand ist schwarz und schuppig, die klauenartigen Finger sind nach allen Seiten verkrümmt, dennoch halten sie behutsam eine andere Hand, eine kleine, die weich ist und weiß, die Hand eines Kindes, eines zartgliedrigen Knaben in weißem Matrosenanzug mit knielangen Hosen und schwarzen Schnürstiefelchen. Die runde Mütze mit den Bändern sitzt auf dem Hinterkopf und umrahmt das Kindergesicht wie ein Heiligenschein.

Die Straße, auf der sich die beiden ohne Eile fortbewegen, erstreckt sich schnurgerade und immer abfallend bis zum Horizont. Die ganze Fläche der Erde ist schräg gestellt. Die Häuserzeilen zur Linken und zur Rechten zeigen ehemals prächtige, balustraden- und figurengeschmückte Fassaden, die schon seit langem verfallen, von Mauerschwamm zersetzt und von Schimmelflecken überwuchert sind. Geruch von Fäulnis, Kot und Miasma steht in glasiger Luft. In der Stille klingt nur der Widerhall von den Schritten des Kindes. Der Dschin macht kein Geräusch, er gleitet neben dem Knaben her wie eine hohe Säule aus wirbelnden Insekten.

Der Knabe bleibt stehen und sagt: «Kehren wir um! Ich habe keine Lust mehr.»

Der Dschin nickt traurig. «Ja, es ist nicht lustig hier. Aber wir sind nicht zu deinem Vergnügen gekommen. Du mußt jetzt zur Schule gehen – und dies ist deine erste Unterrichtsstunde.»

«Ich mag aber nicht!» ruft das Kind trotzig. «Ich will fort von hier.»

Auf der wulstigen Stirn des Dschin schwillt eine Ader an. «Wir bleiben!» sagt er mit bronzener Stimme. Dann, nach einer Weile, fügt er sanfter hinzu: «Für diesmal wird es nicht lang sein.»

Erstaunt hebt der Knabe seine Augenbrauen, so daß sie wie ein fliegender Vogel aussehen, und mustert das Gesicht seines riesenhaften Begleiters. «Du willst mir nicht gehorchen?» fragt er ungläubig. «Du weißt, wer ich bin. Hast du keine Angst vor mir?»

«Hätte ich Angst, dann hätte ich Hoffnung», murmelt der Dschin, und nun hört man den Sprung im Metall der Stimme. «Nein, ich habe keine Angst vor dir, Kleiner. Vor dem, der du jetzt bist, noch nicht. Und vor dem, der du sein wirst, nicht mehr. Der nämlich wird mir recht geben.»

«Wann wird das sein?» will das Kind wissen. «Wenn ich groß bin?»

Auf dem trostlosen Affengesicht erscheint fast so etwas wie ein Lächeln. «Das ist noch ein Weilchen hin, Kleiner. Noch viele Leben und Tode. Bis du wirklich groß bist.»

Er zieht weiter wie eine Rauchschwade, und der Knabe trottet gedankenverloren neben ihm her. Nach langer Stille fragt die Kinderstimme: «Und du wirst immer böse bleiben, bis dahin?»

Der Dschin verdoppelt sich, seine Konturen zerfließen für einen Augenblick, dann sammelt er seine Gestalt von neuem, steht vor dem Knaben wie ein Stück undurchdringliche Finsternis.

«Böse?» fragt er mit schweren Lippen. «Böse? Was ist das? Vielleicht wirst du es auch mich einmal lehren. Aber erst mußt du es ganz in dich aufnehmen, um es ganz zu verwandeln. Das ist ein schweres und langes Studium, Kleiner, das dir bevorsteht. Das ist kein Kinderspiel.»

«Für dich vielleicht», meint der Knabe munter, «für mich ist es leicht. Es ist nichts, es ist nur ein Fehler, den man verbessern muß. Alles wäre in Ordnung ohne das Böse.»

Der Dschin hebt langsam seine wolkigen Schultern, als müsse er eine gewaltige Last hochstemmen. «Vieles ist notwendig!» summt es zornig aus dem Insektenschwarm. «Wer weiß wie vieles?»

«Also gut», sagt der Knabe einlenkend, «gehen wir weiter!»

«Nein», erwidert der Dschin, «wir sind angelangt.»

Der Knabe blickt neugierig umher. «Warten wir auf jemand?»

«Ja», murmelt der Dschin, «wir warten auf jemand.»

«Sollen wir jemand helfen?» fragt der Knabe eifrig und verbessert sich sogleich: «Soll *ich* jemand helfen?»

Der Dschin betrachtet ihn unter jahrtausendschweren Augenlidern hervor. «So einfach ist es nicht, wie du denkst.»

«Nein», sagt das Kind ein wenig verlegen, «ich weiß gut, daß es nicht einfach ist zu helfen.»

Der Dschin schüttelt den Kopf, langsam wie ein Baum im Wind. «Du bist es», rauscht seine Stimme, «du bist es, Kleiner, dem geholfen wird.»

Der Knabe errötet heftig. «Ich fühle mich kein bißchen hilfsbedürftig», sagt er rasch und blitzt den Riesen stolz an.

Der Dschin seufzt, als ob flüssiges Magma Blasen werfe. «Da siehst du nun, Kleiner, wie wenig du noch verstehst.»

«Wer soll mir denn helfen?» will der Knabe wissen. «Und warum?»

«Alle», antwortet der Dschin, «alle, denen du später helfen wirst. Denn ihnen allen wirst du verdanken, daß du es kannst.»

«Dir auch?»

«Vielleicht, ja, ich denke, mir auch.»

Der Knabe macht sich steif. «Dir will ich nicht dankbar sein müssen. Ich will nicht, hörst du?»

Aus dem Inneren des schwarzen Rauchs kommt ein Lachen, als ob lebendes Holz im Feuer knackt und winselt. «Du willst, Kleiner, du willst! Würde ich dich sonst führen können?»

Jetzt wird der Knabe ernstlich ungeduldig. «Auf wen warten wir also noch? Willst du mich zum Narren halten? Du bist doch schon hier! Auf wen soll ich noch warten?»

Der Dschin streicht sich müde mit der Klauenhand über das Kupfergesicht. Es klingt, als ob Glas zertreten wird. «Gib Ruhe, kleiner Herr, gib Ruhe! Ich bin nicht hier. Oder glaubst du, ich könnte dich sonst an der Hand führen, ohne daß dein warmes Herzchen zu Eis erstarrte? Aber nun frage nicht fortwährend. Gib nur acht auf alles, was geschehen wird. Mehr ist für diesmal nicht deine Pflicht.»

Und der Dschin zieht tief die Kapuze über sein Gesicht und sieht nun aus wie eine von schwarzem Schnee bedeckte Tanne.

Plötzlich ist ein rauhes, bellendes Heulen zu hören, das langsam und qualvoll erstirbt wie die Stimme eines großen Hundes, der den Tod seines Herrn beklagt. Der Knabe erschauert und blickt suchend umher. Es scheint ihm, sie ist aus einem der Häuser nahebei gekommen, doch kann er eines seltsamen Echos wegen, das hin- und herfliegt, nicht feststellen, aus welchem. Als er sich langsam umwendet, erblickt er hinter sich eine graue, gebückte Gestalt, deren Kommen er nicht bemerkt hat. Erleichtert atmet er auf, denn allem Anschein nach handelt es sich nur um einen alten Straßenkehrer, der da auf seinen Besen gestützt steht und der Unterhaltung der beiden Besucher gelauscht hat. Als der Blick des Knaben dem seinen begegnet, lächelt er, nickt und tippt mit dem Finger an den Rand seiner Mütze.

«Guten Morgen!» sagt er heiser. Und da der Junge nicht antwortet, sondern ihn prüfend anblickt, fährt er fort: «Nicht wahr, es *ist* doch ein guter Morgen, da du gekommen bist?»

Der Knabe erwidert noch immer nichts, sondern blickt sich nach dem Dschin um, doch der steht nur riesenhaft und leise schwankend wie ein Wirbel aus Dunkelheit.

«Allerdings», läßt sich nun wieder die raschelnde Stimme des kleinen grauen Mannes vernehmen, «war hier immer ein Morgen wie dieser, solang ich auch zurückdenke. Und es ist auch jetzt der gleiche Morgen. Hier gibt es nur eine einzige Stunde, die Stunde vor Tagesanbruch. Niemals Mittag, niemals Abend, niemals Nacht. Diese Tageszeiten sind hier noch nicht erfunden. Es ist die längste von allen Stunden, ein Stück Ewigkeit, daher kommt das.» Er lacht ein wenig, oder vielleicht hustet er auch. Er mustert das ungleiche Paar mit Augen, die schmal sind und tausendfältig.

«Das Kind da», fragt er plötzlich barsch den Dschin, «warum hast du's hier hergeschleppt in unsere Hurenstraße?»

Aber der Dschin steht stumm wie ein Turm aus steinerner Trauer.

«Was geht's dich an?» ruft der Knabe hochfahrend. «Meinst du vielleicht, ich weiß nicht, was Huren sind? Das weiß ich schon lang!»

«Ach ja?» Der Straßenkehrer senkt den Kopf und stützt sich schwer auf den Besen. «Dann laß hören, was du weißt?»

«Frauen», erklärt der Knabe, «die Liebe für Geld verkaufen. Und das ist etwas sehr Schlimmes.»

Der Straßenkehrer nickt ein wenig. «Schau, schau!» Dann fährt er mit einem kleinen betrübten Lächeln fort: «Aber das wäre vielleicht noch nicht so sehr schlimm, mein Kind. Nur, siehst du, hier gibt es kein Geld – und keine Liebe. Die Trösterinnen in unserer Straße verkaufen etwas anderes und bekommen etwas anderes dafür, das ist es.» Und wieder hustet er oder lacht leise.

Der Knabe ist verwundert und nähert sich dem Straßenkehrer zwei, drei vorsichtige Schritte. «Was denn?»

Der graue Alte überlegt eine Weile, wie er es dem Kind erklären soll. Schließlich hat er es gefunden und fragt: «Gewiß kennst du eine Menge Märchen, mein Junge?»

«Ich kenne alle», sagt der Knabe stolz, «alle, die

es gibt. Ich habe jemand, der sie mir erzählt und der jedes Märchen der Welt weiß.»

«Das ist schön. Und du weißt sicher auch, daß sie wahr sind.»

«Freilich!»

Der Straßenkehrer nickt wieder. «Ganz recht. Ich sage nicht, daß sie nicht wahr sind. Wenn einer sie richtig zu erzählen versteht, sind sie alle wahr. Aber siehst du, es sind immer nur die Geschichten der Sieger, sie gehen gut aus, so oder so. Aber die Geschichten der Verlierer sind auch wahr, nur werden sie bald vergessen. Vielleicht weil die Verlierer sie selbst vergessen. Daher kommt das.»

«Verlierer?» fragt der Knabe und kommt noch ein wenig näher. «Davon habe ich nie gehört! Gibt es sie wirklich?»

Der Alte streckt die Hand aus, um die Wange des Knaben zu streicheln, aber der weicht mit einer brüsken Bewegung zurück. Der Straßenkehrer lächelt um Entschuldigung bittend.

«Mir scheint trotz allem», sagt er heiser, «du kennst in Wahrheit nur eine einzige Geschichte, mein Kind, nur die Geschichte des hundertsten Prinzen, der das Rätsel zu lösen vermag, aber nicht die der neunundneunzig vor ihm, die zugrunde gehen, weil es ihnen nicht glückt. Und fast alle ihre Geschichten enden hier in dieser Straße.»

Der Alte wendet den Kopf und blickt in die Ferne, dorthin wo die Häuserzeilen in einem Punkt zusammenlaufen. «Ich habe jedenfalls noch keinen gesehen von allen, die hierherkamen, der das andere Ende erreicht hätte, denn die Straße wächst unter ihren Schritten und wird um so länger, je mehr Weg sie schon zurückgelegt haben. Deshalb bleibt jeder schließlich, wo er gerade ist, in diesem Haus oder in dem dort, und richtet sich ein und lebt mit den Trösterinnen – solang er eben noch lebt.»

«Du auch?» fragt der Knabe erschrocken.

Der Straßenkehrer gibt keine Antwort. Er lacht oder hustet nur kurz, als ob etwas zerrisse, und sagt nach einer Weile: «Aber in Wirklichkeit ist diese Straße sehr kurz. Höchstens ein Leben lang. Ich muß das schließlich wissen.»

In diesem Augenblick fühlt der Knabe schattenschwer die Klaue des Dschin auf seiner Schulter. Er will sich nach ihm umwenden, aber der Dschin hält seinen Kopf und dreht sein Gesicht in die Richtung, aus der sie beide gekommen sind. Dort zeigt sich, sehr fern noch, eine Gestalt. Wie eine von ungeübten Händen geführte Marionette torkelt sie die Straße herunter, knickt in den Knieen ein, fängt sich wieder und taumelt weiter. Bisweilen stützt sie sich vornübergebeugt mit der Hand gegen die Wand eines Hauses und verharrt so, wie um zu Atem zu kommen. Obgleich ihr Weg abwärts geht, scheint jeder Schritt sie große Anstrengung zu kosten.

«Schau, schau!» raunt die heisere Stimme, «wieder einer.»

Und nun wird es plötzlich lebendig auf der Straße und in den Häusern. Die Türen öffnen sich und da und dort auch eines der Fenster.

Überall zeigen sich Weiber, die dem Ankömmling nach- oder entgegenstarren. Sie alle gleichen einander so völlig, daß es scheint, als seien sie nur eine einzige Frau, deren Bild in einer endlosen Reihe von Spiegeln auftaucht. Diese eine, die sie alle sind, trägt ein Kleid aus grauem, von Moder zerfressenem Stoff, das ihren sehr mageren Gliedern eng anliegt und schlaffe, winzige Brüste mit tierhaft langen Zitzen frei läßt. Fahlgraues Haar umgibt Kopf und Schultern wie Rauch, und im kalkweißen Gesicht steht der Mund wie eine große schwarze Wunde.

Die taumelnde Gestalt ist herangekommen, und nun zeigt sich, daß es ein Mann in der unförmigen, silberglänzenden Montur eines Weltraumpiloten ist. Nur den Helm hat er offenbar fortgeworfen oder verloren. Sein farbloses, schütteres Haar steht ihm wirr um den Kopf. Seine wimpernlosen Augen sind gerötet, und sein Gesicht ist von einem idotischen Lächeln wie gedunsen. Als er die Gruppe der drei Wartenden mitten auf der Straße bemerkt, bleibt er unschlüssig stehen. Er hebt eine Hand, dann fällt er zu Boden und bleibt liegen, das Gesicht nach unten.

Der Knabe will zu ihm laufen, aber da fühlt er nachtmahrkalt die Klaue des Dschin, die ihn festhält.

«Jetzt nicht!» rauscht die baumhafte Stimme. «Schweig und gibt acht!»

Eines der Weiber geht zu dem Gestürzten, dreht ihn auf den Rücken und betrachtet sein vom Straßenkot besudeltes Gesicht, in dem noch immer das wesenlose Lächeln steht. Langsam schiebt sich aus ihrem Mund eine dünne schwarze Zunge, sie leckt sich die Lippen, die wie geronnenes Blut aussehen. Der Mann erblickt über sich das Gesicht, und ohne daß das Grinsen seiner Lippen verschwindet, tritt in seine Augen langsam der Ausdruck des Entsetzens. «Wer bist du?» fragt er.

Das Weib lächelt, ihre Augen glänzen lüstern. Sie hockt sich zu ihm und bettet seinen Kopf auf ihren Schoß. Fingernägel aus schwarzem Silber gleiten zärtlich und grausam durch sein Haar. Der Mann stöhnt: «Bist du stumm? Was machst du da? Laß mich!»

«Ja», flüstert sie und fährt fort, ihn zu lausen, «ich bin stumm.»

Der Mann läßt es geschehen, unfähig sich zu wehren. Auf seiner Stirn steht Schweiß. «Und ich», murmelt er, «bin blind.»

«Man sieht es dir nicht an.»

«Nein, nicht so. Nicht die Augen.»

«Bei mir ist es auch nicht der Mund, der stumm ist.»

Der Mann macht Anstrengung, sich aufzurichten. «Was tust du mit mir? Laß mich los! Ich will fort.» Aber sie drückt ihn nieder, und er gibt, halb schon aus eigenem Willen, nach.

«Du bist angelangt», raunt sie ihm ins Ohr, «du bist endlich angelangt. Du kannst es daran merken, daß der Schmerz nachläßt.»

Der Mann schließt die Augen und atmet tief und stoßweise, es klingt wie ein ungeborenes Schluchzen. «Du betrügst mich. Aber es ist mir schon gleich worum. Alles ist ein großer Betrug.»

«Das sagen alle, die hier herkommen», flüstert das Weib. «Du bist das erste Mal hier, nicht wahr? Aber auch du bist wie alle. Du hast dich selbst betrogen, und deshalb meinst du nun, daß auch ich dich betrüge. Aber ich werde dir die Wahrheit sagen. Glaubst du, es macht einen Unterschied, ob du dich noch einen Tag, noch ein Jahr, noch hundert Lichtjahre weiterschleppst? Nichts wird sich mehr ändern. Weiter kommst du nicht mehr, so weit du auch gehst. Wozu willst du also fort? Bleib bei mir, ich werde dir wohltun, du wirst sehen.»

Der Astronaut starrt sie an, ohne sie zu sehen. «Ich kenne dich nicht. Wer bist du?»

«Da du wie alle bist, bin ich wie jede», antwortet sie, und ihr leises Lachen klingt wie ferne Schreie. «Und darum wirst du dir von mir helfen lassen.»

Eine Zeitlang wirft der Mann seinen Kopf hin und her wie ein Fieberkranker. Unter dem Spiel ihrer kundigen Finger in seinem Haar wird er langsam ruhiger. Sein Gesicht, noch immer von diesem idiotischen Lächeln verquollen, ist fast so weiß geworden wie das ihre. Wenn er nicht hin und wieder krampfhaft atmete, könnte man ihn für tot halten.

Den Knaben fröstelt. «Was tut sie? Wird sie ihm wirklich helfen?» Er blickt zum Dschin hinauf, doch an dessen Stelle antwortet der Straßenkehrer: «Ja, auf ihre Art, Junge. Sie ist eine Trösterin. Achte auf ihre Finger! Sie nimmt ihm den Schmerz! Er wird nicht mehr daran leiden, und sie wird davon satt. Für kurze Zeit jedenfalls. Am Ende wird er niemand sein.»

Der Mann liegt ganz still. Seine Augen suchen die des Kindes. Seine lächelnden Lippen bleiben fest geschlossen, dennoch hört der Knabe des Mannes Stimme: «Ich habe das Paradies gesucht.»

Danach entsteht eine lange Stille, und der Knabe hört nichts mehr als das Pochen seines eigenen Herzens. Schließlich flüstert die Hure: «Du hast es natürlich nicht gefunden, weil es nicht existiert. Und nun hast du alle Hoffnung verloren, ist es nicht so?»

Der Mann hält den Blick des Kindes mit dem seinen fest. Seine Stimme klingt fast gelassen vor Unglück. «Hätte ich es nicht gefunden, so hätte ich die Hoffnung niemals verloren.»

Die schwarzsilbernen Fingernägel kämmen und kämmen durch sein Haar. «Sprich nur! Erzähle mir alles!» Und der Knabe, immer noch eingeschlossen in den Blick des Mannes wie in eine Falle, hört dessen Stimme sagen: «Ich hätte weiter gesucht bis ans Ende meines Lebens. Und ich wäre glücklich gestorben, ohne je daran zu zweifeln, daß es irgendwo einen Ort gibt, wo alles schön und alles vollkommen ist. Und ich hätte es gut geheißen, daß niemand ihn finden kann.»

Die Stimme der Trösterin ist sanft wie der Biß eines Blutegels. «Warum hast du ihn dann gesucht?»

Als hätte dieser gefragt, antwortet der Mann dem Knaben: «Es war das Heimweh, und es war so groß, daß mir keine Wahl blieb, etwas anderes zu tun. Mir war nicht wichtig, hineinzugelangen. Nur einen einzigen Blick in die vollkommene Schönheit wollte ich werfen. Die Gewißheit, daß es sie gibt, wäre mir genug gewesen für alle Ewigkeit.»

«Aber nun hast du es doch gefunden, das Paradies», raunt die Hure und fährt immer fort, sein Haar zu durchsuchen. «Sie haben dich eingelassen, nicht wahr?»

Der Mann fährt so jäh empor, daß das graue Weib erschrocken zurückweicht, aber seine Stimme ist immer noch kalt und gleichgültig. «Mitten im Weltall», sagt er in den großen Blick des Kindes hinein, «gibt es eine Ringmauer aus undurchdringlicher Schwere. Über der Pforte stehen eingemeißelt die Worte: *Der Garten Eden.* Ich berührte die Gitterstäbe des verschlossenen Tores, und sie zerfielen mir unter den Händen zu

Rost und Moder. Ich trat durch das Tor und sah vor mir eine endlose Landschaft aus Asche und Schlacke und in der Mitte einen riesenhaften versteinerten Baum, der seine Äste in den schwarzen Himmel krallte. Und während ich noch stand und schaute, regte sich etwas neben mir, und aus einem schwarzen Loch im Boden kroch wie eine Riesenspinne ein Wesen hervor. Ich konnte nur erkennen, daß es entsetzlich ausgetrocknet und entsetzlich alt war und riesige Flügel hinter sich herschleifte. Und das Wesen wälzte sich heran und schrie in einem fort: Kommt wieder! Kommt wieder, Menschenkinder! Und es raufte sich Fäuste voll Federn aus und warf sie nach mir. Ich wich vor ihm zurück, da begann es zu kreischen und zu lachen und schrie immer weiter: Ist doch niemand mehr da außer mir! Ich bin allein, allein, allein! – Da bin ich geflohen, ich weiß nicht wie und wohin, ob es nur eine Stunde war oder tausend Jahre.»

Der Mann bleibt reglos sitzen, die Beine grade ausgestreckt vor sich, immer noch das gleiche böse Lächeln auf dem Gesicht, aber nun schaut er vor sich nieder und entläßt den Knaben aus seinem Blick. Und wieder tritt eine Stille ein, so endgültig, als sei aller Klang aus der Welt verschwunden. Aber dann, als der Knabe schon meint, nicht mehr atmen zu können, sagt die Trösterin: «Komm! Ich kann machen, daß du deine Sehnsucht für immer vergißt. Dann wirst du aufhören zu leiden.»

Der Mann steht auf, sie nimmt ihn an der Hand und geht mit ihm auf eine Tür zu. Da reißt sich der Knabe aus dem Griff des Dschin und stellt sich den beiden in den Weg. «Das darfst du nicht!» ruft er zornig. «Du darfst dein Heimweh nicht vergessen. Sie nimmt dir alles! Sie nimmt dir dich selbst weg!»

Plötzlich fühlt das Kind die harte Hand des Mannes auf seiner Wange und taumelt zurück. Er hat es geschlagen.

«Laß gut sein», sagt das graue Weib, «das Kind weiß es nicht besser. Noch nicht.»

Und sie zieht den Mann hinter sich her ins Haus.

«Er darf es nicht vergessen», stammelt der Knabe, «sonst ist doch das Paradies für immer verloren . . .», und nun kommen ihm doch die Tränen.

Der Straßenkehrer scheint etwas im Rinnstein gefunden zu haben. Es ist ein goldener Reif, groß wie eine Krone. Er hebt ihn auf, und während er ihn zwischen den Händen dreht, sagt er: «Ja, Kleiner, es ist deine erste Unterrichtsstunde. Und alles Böse beginnt mit dem Vergessen einer Sehnsucht.»

«Aber warum hat er mich geschlagen?»

Der Alte antwortet nicht. Er dreht und dreht den Reif.

«He, Straßenkehrer!» ruft eines der anderen grauen Weiber, «was hast du da?»

«Es scheint eine Krone zu sein», murmelt der Alte. «Irgendein armer Teufel hat sie wohl verloren oder weggeworfen. Hier werden alle unkenntlich.»

Das Weib streckt die Hand aus, ohne jedoch näher zu kommen.

«Gib sie mir! Gib sie mir!» bettelt sie.

Der kleine Alte schüttelt den Kopf. «Das darf ich nicht. Und du weißt es auch gut genug.»

«Und du? Was wirst du mit ihr anfangen?»

«Ich werde sie wohl meiner Frau mitbringen.»

«Ach! Sogar du hast eine Frau? Was du nicht sagst! Ist sie schön?»

Die anderen Weiber kichern, es klingt wie das Pfeifen von Ratten. Der graue Alte läßt sich nicht beeindrucken. «Mit der Krone schon, denke ich», sagt er heiser.

«Hast du keine Angst?» fragt eine andere Trösterin. «Unsere Königin hat befohlen, alle verlorenen Dinge ihr zu bringen. Sie läßt nicht mit sich spaßen, Alter.»

Der Straßenkehrer macht seine Augen schmal und hustet oder lacht ein wenig verlegen. «Wenn du mir versprichst, mich nicht zu verraten, will ich dir ein Geheimnis anvertrauen, meine Schöne.»

«Gut, ich verspreche es.»

«Eure Königin», sagt der Straßenkehrer langsam, «ist meine Frau.»

Plötzlich ist die Straße so leer von Trösterinnen, wie sie es zu Anfang war. Alle Türen und Fenster sind geschlossen. Der graue Alte hängt die Krone über seinen Besen, den er schultert. Er nickt dem Knaben zu, tippt mit dem Finger an den Rand seiner Mütze, und sein Grau verschwindet im Grau der Hauswände.

Der Knabe blickt fragend zu dem Dschin auf. «War es denn das wirkliche Paradies, das der Mann gefunden hat?»

«Was weiß ich», antwortet die bronzene Stimme, «was fragst du mich danach!»

Aus dem Haus, in dem der Astronaut mit der Trösterin verschwunden ist, klingt das lange, rauhe Hundegeheul und vergeht trostlos und qualvoll in der glasigen Luft. Der Knabe lauscht mit blassem Gesicht, nur auf seiner Wange leuchtet noch rot der Abdruck der Hand.

Die schuppige Klaue des Dschin ergreift wieder behutsam die Kinderhand. «Komm, Kleiner. Deine erste Unterrichtsstunde ist vorüber.»

Als sie schon ein gutes Stück die Straße hinauf sind, bleibt das Kind noch einmal stehen und schaut zurück. «Ist es wahr, was der Straßenkehrer gesagt hat? Daß alles Böse mit dem Vergessen einer Sehnsucht beginnt?»

«Es beginnt früher», antwortet der Dschin, «es beginnt immer mit einer verlorenen Hoffnung.» Und später, viel später, als der Knabe schon an die Spiele denkt, die er bald spielen wird, murmelt der Dschin, längst wieder allein und eingeschlossen in seinem Turm aus Eis, noch einmal vor sich hin: «Niemand vermag zu ermessen, wohin es mit einem kommen kann, der die Hoffnung verloren hat . . .»

IM KLASSENZIMMER REGNETE ES UNAUFHÖRlich. Es roch morastig, denn der Bretterboden war durch die ewige Nässe schon fast zu Torf zerfallen, die Wände schimmelten, und an manchen Stellen wuchsen große, schneeige Salpetergespinste. Die Scheiben der drei hohen, schmalen Fenster bestanden aus Milchglas, damit die Schüler nicht durch die Möglichkeit hinauszuschauen abgelenkt würden.

Die Tür auf den Korridor des Schulhauses war klumpig wieder und wieder überstrichen und hatte die Farbe von altem, abgestandenem Spinat. Auf der Wandtafel an der Stirnseite des Raums waren noch die Reste irgendeiner Formel zu lesen: *... ist ein Punkt im Vakuum ... gehe zur Zeit t ein Lichtimpuls ... d ... dt ...*

Auf dem hohen, teerschwarzen Katheder vor der Wandtafel lag wie aufgebahrt der reglose Körper eines Knaben von vielleicht vierzehn Jahren. Er war in ein enganliegendes Seiltänzerkostüm gekleidet, das da und dort mit Flicken besetzt war. Die weiße Binde, die er um den Kopf trug, zeigte auf der Stirn einen kreisrunden roten Fleck. Offenbar handelte es sich um ein Zeichen, denn es war viel zu regelmäßig, als daß es durchgesickertes Blut sein konnte.

In den Schulbänken saßen nur sechs Schüler – zwei Männer, zwei Frauen und zwei Kinder – jeder entfernt von den anderen, jeder für sich. Alle waren unter ihre Regenschirme geduckt, lasen, schrieben oder schauten starr vor sich hin. Ganz vorn saß unter einem schwarzen Schirm ein Mann unbestimmbaren Alters in betont korrekter Kleidung. Sein Gesicht wirkte unter dem schwarzen, steifen Hut blaß und bis auf die etwas vorstehenden wäßrigen Augen merkmalslos. Vor ihm auf dem Pult lag eine Aktentasche. In der Nähe der Tür saß ein bärtiger Mann mit Brille, der einen weißen Kittel trug. Er hielt einen Schirm aus durchsichtigem Plastikmaterial über sich und blickte in gewissen Abständen immer wieder auf seine Armbanduhr. Auf der Fensterseite hatte sich ein sehr dickes altes Weib in die für ihre Fülle viel zu kleine Schulbank gequetscht, so daß ihr gewaltiger Busen vor ihr auf dem Pult lag. Ihr Schirm war geblümt. Einige Reihen hinter ihr saß eine langbeinige, schlanke junge Dame in einem Brautkleid unter einem weißen Schirm mit Spitzenrüsche. Ganz im Hintergrund in der letzten Reihe saßen die beiden Kinder. Das eine, ein kleines Mädchen, hatte einen Schirm aus Ölpapier aufgespannt. Es hatte langes, blauschwarzes Haar und nachtdunkle Mandelaugen. Der Junge auf der anderen Seite wirkte sehr vernachlässigt.

Er war klein und schmalwangig und sehr schmutzig. Seine Kleider waren zerrissen, und seine Nase lief, er wischte sie alle Augenblicke an seinem Ärmel ab. Auf dem Rücken trug er viel zu große weiße Flügel, sie waren vom Regen naß und struppig und hingen schwer herunter. Sein Schirm bestand nur noch aus einem leeren Gestänge, an dem einige himmelblaue Fetzen hingen.

Alle schwiegen, denn Schwätzen war streng verboten. Nur der Regen fiel unaufhörlich.

Schließlich beugte sich der Mann im weißen Kittel nach einem abermaligen Blick auf seine Uhr zu dem korrekt Gekleideten hinüber und fragte flüsternd:

«Entschuldigen Sie bitte, aber wissen Sie vielleicht, wann der Herr Lehrer kommt?»

Der Angeredete hielt den Finger an die Lippen. Dann schüttelte er den Kopf, und nach einer Weile raunte er zurück:

«Man weiß nie, wann er kommt und ob er überhaupt kommt. Aber wehe, man ist nicht da, wenn er zufällig doch kommt.»

Der Mann im weißen Kittel nickte seufzend.

«Das habe ich mir gedacht. Darf ich fragen, warum Sie hier sind?»

Der andere winkte ab und sah sich im Raum um. Wieder ließ er einige Minuten verstreichen, ehe er antwortete:

«Ich will meine Kenntnisse in Mathematik vervollständigen. Ich bin nämlich Beamter.»

«Aha», sagte der bärtige Mann im weißen Kittel, aber man sah, daß ihn diese Auskunft nicht sonderlich befriedigte.

Eine Weile sah er seine Uhr an, dann schrieb er etwas auf einen Zettel und schob ihn zu seinem Gesprächspartner hinüber.

Also sind Sie freiwillig hier? las der. Er drehte den Zettel um und schrieb auf die Rückseite: *Ihre Frage trifft auf mich nicht zu. Ich tue meine Pflicht.*

Als der Mann im weißen Kittel die Botschaft gelesen hatte, sagte er halblaut und mit aufsässigem Unterton:

«Ich bin nämlich nicht freiwillig hier. Ich bin Arzt, aber wegen einer dummen Kleinigkeit hat man mir die Lizenz entzogen. Und nun muß ich wieder ganz von vorn anfangen. Ich finde das schrecklich.»

«Alles beginnt immer wieder von vorn», antwortete der Korrekte abweisend. «Das Leben ist Wiederholung. Mit welchem Recht erwarten Sie, daß Sie als einziger versetzt werden?»

«Reden Sie doch nicht so laut!» rief die Braut halblaut zu den beiden hinüber. «Man könnte Sie hören, dann müssen wir alle nachsitzen.»

«Wenn ihr mich fragt», mischte sich nun die fette Person ins Gespräch, «dann sollten wir einfach nach Hause gehen. Ich habe Hunger.»

Der Beamte drehte sich nach ihr um und musterte sie mit seinem leeren Blick.

«Das ist nicht möglich», sagte er kühl, «die Tür ist zu.»

Wieder war es lange Zeit still, nur der Regen fiel unablässig.

«Ich möchte wissen», murmelte der Junge mit den durchnäßten Flügeln vor sich hin, «was draußen für Wetter ist. Vielleicht sind draußen schon Ferien.»

Das kleine Mädchen mit den Mandelaugen lächelte zu ihm herüber und flüsterte hinter vorgehaltener Hand:

«Draußen ist das Paradies, aber man kann die Fenster nicht aufmachen.»

«Was ist draußen?»

«Das Pa-ra-dies.»

«Kenn ich nicht. Was soll denn das sein?»

«Das kennst du nicht?»

«Nein, hab ich noch nie gehört.»

Das Mädchen kicherte.

«Das glaub ich dir nicht. Bist du denn kein Engel?»

«Was soll denn *das* nun schon wieder sein?» fragte der Junge.

Das mandeläugige Mädchen blickte eine Weile nachdenklich vor sich hin und flüsterte dann:

«Ich weiß in Wirklichkeit auch nicht, was das Paradies ist.»

«Was redest du dann?» sagte der Junge.

«Aber ich weiß, daß es immer nebenan ist», fuhr das Mädchen fort. «Das weiß doch jeder.

Dazwischen ist nur eine Wand, manchmal aus Stein, manchmal aus Glas, manchmal aus Seidenpapier. Aber immer ist es nebenan.»

«Könnten wir dann nicht einfach die Scheiben einschlagen?» schlug der Junge vor und errötete über seine eigene Kühnheit. «Ich meine, falls es sich überhaupt lohnt.»

Das Mädchen blickte ihn traurig an und flüsterte:

«Das würde doch nichts helfen. Es ist immer nebenan, also ist es nie da, wo wir sind. Wenn wir da draußen wären, wäre es auch dort nicht mehr. Aber jetzt ist es da. Ganz bestimmt.»

«Seid doch still!» rief die Braut mit unterdrückter Stimme. «Ich glaube, es kommt jemand.»

Alle lauschten, aber nur der Regen war zu hören.

Der Arzt stand auf und ging zum Katheder, auf dem der Knabe im Seiltänzerkostüm lag wie auf einem Katafalk. Er mußte auf den Stuhl hinter dem Katheder steigen, um ihn betrachten zu können.

«Sollten Sie nicht lieber Ihre Aufgaben machen?» fragte der Beamte und zog die Augenbrauen hoch.

«Vielleicht ist das meine Aufgabe», antwortete der Arzt gereizt.

Eine Weile untersuchte er den Knaben schweigend, prüfte den Puls, öffnete mit Daumen und Zeigefinger vorsichtig eines seiner Augen, drückte da und dort, schüttelte schließlich mutlos den Kopf, stieg wieder herunter und setzte sich auf seinen Platz.

Die fette Alte, die ihm mit wachsender Neugier zugesehen hatte, rief jetzt so laut, daß alle erschrocken zusammenfuhren:

«Die Krankheit! Sagen Sie doch wenigstens, woran er gestorben ist!»

«Am Regen», antwortete der Arzt barsch.

«Vielleicht», flüsterte das mandeläugige Mädchen dem Jungen mit den durchnäßten Flügeln zu, «ist das Paradies da, wo es nicht regnet.»

«Oder jedenfalls nicht immer», sagte der Junge mehr zu sich selbst, «nur ab und zu mal.»

«Erinnerst du dich jetzt?» raunte das Mädchen.

Aber der Junge antwortete nicht, er schaute nur nachdenklich vor sich hin.

Das Mädchen stand auf und ging mit schüchternen Schritten auf das Katheder zu. Es kletterte auf den Stuhl und von dort zu dem Knaben im Seiltänzerkostüm hinauf. Es hockte sich neben ihn, nahm seinen Kopf auf den Schoß und hielt den Papierschirm über ihn. Alle sahen mit Verwunderung zu.

«Aber wenn der Lehrer kommt ...» rief die Braut ängstlich.

«Vielleicht ist er ja der Lehrer», sagte der Junge mit den Flügeln und stand auf. Alle drehten sich nach ihm um.

«Könnte doch sein», murmelte er und wurde

wieder rot. Mit nachschleifenden Flügeln kam er nach vorn, kletterte entschlossen ebenfalls auf das Katheder hinauf und hielt das Gestänge seines Schirms über den ausgestreckten Körper des Knaben.

«Unsinn!» meinte der Beamte geringschätzig.

«Gar nicht!» gab der Junge trotzig zurück. «Er fängt schon an zu atmen.»

Der Arzt sprang auf, kletterte wieder auf den Stuhl und legte dem Knaben die Hand auf die Brust, beugte sich über seinen Mund und lauschte.

«Zwei genügen nicht», rief er dann, «noch mehr Schirme!»

Alle kamen nach vorn und streckten schützend ihre Schirme in die Höhe und über den Knaben. Das Mädchen mit den Mandelaugen hatte sich tief über seinen Kopf gebeugt und nahm ihm vorsichtig die Binde mit dem roten kreisrunden Fleck ab. Ihr langes schwarzes Haar hüllte ihrer beider Gesichter ein.

Plötzlich holte der Knabe im Seiltänzerkostüm tief Luft, hustete ein paar Mal und setzte sich auf.

«Danke!» sagte er und blickte in die Gesichter, die sich um ihn drängten, «das war weit diesmal. Was macht ihr denn hier so?»

«Wir warten auf den Lehrer», antwortete die Braut.

«Bist du es vielleicht?» fragte der Junge mit den Flügeln.

«Na hör mal!» rief der Knabe, «sehe ich etwa so aus?»

«Wir wissen nicht, wie er aussieht», erklärte der Arzt.

«Sprechen Sie gefälligst nicht in unser aller Namen!» wies ihn der Beamte zurecht. «Ich bin wesentlich länger hier als Sie.»

Der Knabe im Seiltänzerkostüm blies ein paar Tropfen von seiner Nasenspitze und lächelte.

«Hauptsache, daß er jetzt noch nicht da ist. Wir sollten versuchen, hier herauszukommen. Oder gefällt es euch hier?»

«Darum geht es nicht», versetzte der Beamte, «es gibt auch so etwas wie Pflichtgefühl. Niemand hat das Recht, sich der Wirklichkeit zu entziehen, am wenigsten dann, wenn sie unangenehm ist.»

Der Knabe im Seiltänzerkostüm ließ seine Beine vom Katheder baumeln.

«Habt ihr schon bemerkt», fragte er sanft, «daß es genügt, für ein paar Minuten die Augen zu schließen? Wenn man sie wieder öffnet, ist man schon in einer anderen Wirklichkeit. Alles wandelt sich immerfort.»

«Wenn man die Augen zumacht», sagte der Junge mit den durchnäßten Flügeln, «stirbt man.»

«Na gut», sagte der Knabe vom Katheder herab, «das kommt auf eins heraus. Wir wandeln uns auch, da ist weiter nichts dabei. Ich war gerade ein anderer, und jetzt bin ich plötzlich der hier.»

Das fette Weib nickte.

«Eben, mein Junge. Und was hast du davon?»

«Nichts», antwortete der Knabe, «warum soll man etwas davon haben?»

«Ich jedenfalls», erklärte der Beamte, «werde hier bleiben und alles Wort für Wort dem Lehrer berichten, was hier vorgeht.»

«Wie Sie wollen!» meinte der Knabe und sprang vom Katheder herunter. «Ich bin hier nur auf der Durchreise.»

«Aber man kann hier nicht heraus», rief die Braut. «Die Tür ist zu.»

«Man kann überall heraus», erwiderte der Knabe, «wenn man den Traum wandeln kann.»

«Wie geht denn das?» fragte das Mädchen mit den Mandelaugen. Und der Junge mit den Flügeln setzte hinzu:

«Was heißt traumwandeln?»

«Alles Unsinn!» rief der Beamte.

«Traumwandeln», sagte der Knabe im Seiltänzerkostüm, «das heißt eine neue Geschichte erfinden und dann selbst in sie hinüberspringen. Was lernt ihr eigentlich in dieser Schule, wenn ihr das noch nicht mal wißt.»

«Wo hast du's denn gelernt?» wollte die fette Person wissen.

«Bei einem Traumwandler, den ich selbst erfunden habe», antwortete der Knabe.

«Und du kannst wirklich traumwandeln?» fragte das Mädchen atemlos. «Und du kannst es uns beibringen?»

«Sicher!» versetzte der Knabe. «Allein ist es allerdings am schwersten. Zu zweit geht es schon sehr viel leichter. Und wenn es viele gemeinsam tun, dann gelingt es immer. Alle wirklichen Traumwandler wissen das!»

«Wie sollen wir das denn machen, eine neue Geschichte erfinden?» erkundigte sich die Braut.

«Am einfachsten», erklärte der Knabe, «wir führen alle zusammen ein Theaterstück auf.»

«O Gott», stöhnte das dicke Weib, «ich kann nicht soviel Text behalten.»

«Vor wem sollen wir denn spielen?» fragte der Arzt.

«Vor uns selbst. Wir sind Zuschauer und Darsteller zugleich. Und was wir spielen ist Wirklichkeit.»

«Aber *was* sollen wir denn spielen?» wollte der Junge mit den Flügeln wissen.

«Das weiß man nie vorher», antwortete der Knabe. «Man fängt einfach an.»

«Das kann aber schrecklich schief gehen», meinte die Braut. «Und was wird dann aus uns?»

Der Knabe zuckte die Achseln.

«Wer das vorher wissen will, kann eben nicht traumwandeln.»

«Aber brauchen wir nicht eine Bühne?» fragte das Mädchen mit den Mandelaugen. «Und einen Vorhang?»

«Unbedingt!» sagte der Knabe im Seiltänzerkostüm. Er nahm seine vom Regen durchtränkte

Kopfbinde, und während das Mädchen seinen Papierschirm über ihn hielt, ging er zur Wandtafel und wusch mit dem Tuch sorgfältig die letzten Spuren der Formel ab. Dann wandte er sich an die anderen.

«Könnt ihr sie trocken reiben?»

«Das wird nicht viel nützen», meinte der Arzt, «der Regen wird sie bald wieder naß machen.»

«Ein paar Minuten genügen», erklärte der Knabe. Er öffnete die Schubladen des Katheders und fand darin einige Stückchen bunter Kreide. Die übrigen hatten inzwischen, so gut es eben ging, die Tafel mit ihren Taschentüchern oder Jackenärmeln trocken gerieben. Der Arzt hatte sogar seinen weißen Kittel ausgezogen und als Trokkentuch benützt.

«Das genügt schon», sagte der Knabe. Dann malte er mit wenigen Strichen eine Theaterbühne auf die Tafel, der Vorhang war nach links und rechts hochgezogen, und die Dekoration dahinter zeigte einen langen Korridor voller Türen.

«Man muß sich alle Möglichkeiten offen lassen», sagte der Knabe, während er die letzten Striche machte, «hinter einer dieser Türen werden wir schon etwas finden, was uns gefällt.»

Und mit einem Satz sprang er in das Bild hinein, das er eben gemalt hatte. Die anderen schauten ihm hingerissen zu, wie er auf der Bühne hin und her spazierte.

«Kommt!» rief er, «macht schnell! Der Regen!»

Erst kletterte der Junge mit den Flügeln auf die Bühne, dann folgte das Mädchen mit den Mandelaugen. Nach ihm kam die Braut. Das dicke Weib mußte von hinten vom Arzt geschoben und von vorn von denen, die schon oben waren, gezogen werden, dann sprang der Arzt selbst hinauf. Nur der Mann im korrekten Anzug stand noch unter seinem schwarzen Schirm unten und konnte sich nicht entschließen.

Der Knabe im Seiltänzerkostüm beugte sich noch einmal aus dem Bild und streckte ihm die Hand hin.

«Wollen Sie nicht doch mitkommen?» fragte er.

Der Mann schüttelte den Kopf.

«Ich glaube nicht daran.»

«Das brauchen Sie nicht. Tun Sie's einfach!»

«Aber –» Der Beamte trat einen Schritt zurück, «ich wüßte nicht, was euch an mir liegen sollte. Ich passe nicht in euer Stück.»

«Uns liegt nichts an Ihnen», antwortete der Knabe, «aber in unser Stück paßt jeder.»

Über das Bild liefen schon allenthalben Regentropfen und machten es undeutlich.

«Ich möchte lieber nicht», sagte der Mann.

«Schade», rief der Knabe, dann verbeugte er sich wie ein Zirkusartist. «Leben Sie wohl!»

Der Vorhang senkte sich langsam von beiden Seiten. Da faßte sich der Mann im letzten Augenblick ein Herz, klappte seinen Schirm zusammen, klemmte seine Aktentasche unter den Arm, hielt seinen Hut fest und sprang durch den Schlitz des Vorhangs, der sich hinter ihm schloß.

Der unaufhörliche Regen wusch nach und nach das Bild von der Tafel.

Im Korridor der Schauspieler trafen wir einige hundert Wartende an. Sie saßen und standen an den Wänden entlang, reglos und geduldig.

Viele hatten entblößte Oberkörper, manche waren gänzlich nackend. Auch Frauen und Kinder waren darunter. Die Körper der meisten zeugten von großen und schon lang erduldeten Entbehrungen. Sie waren mager und bis zur Hinfälligkeit geschwächt.

Keiner von ihnen blickte auf, als wir durch ihre Reihen gingen. Einige hielten die Augen geschlossen und bewegten die Lippen, als memorierten sie den Text ihrer Rollen, andere starrten leer ins Weite oder auf den Boden.

Vor einem Alten, der in eine grobe Pferdedekke gehüllt auf einem Schemel saß, blieben wir stehen und fragten ihn, aus welchem Grunde er hier sei.

«Ich muß auf mein Kostüm warten», antwortete er mit verlegenem Lächeln, «es wird noch immer daran genäht. Sobald es fertig ist, werde ich auftreten. Es kann nicht mehr lange dauern, denn ich warte schon am längsten von allen hier.»

Wir wollten wissen, um was für eine Art von Kostüm es sich handle.

«Eine Königsrobe», sagte er. «Die Hauptsache ist natürlich die Krone, zuerst eine wirkliche aus Gold, später dann eine papierene. Für den letzten Akt benötige ich außerdem einen Bogen und einen Köcher mit Pfeilen. Und Krücken – ja, Krücken werde ich wohl auch bekommen, denn ich werde ja einbeinig sein, wie ihr wohl wißt.»

Wir erklärten ihm, daß wir so gut wie nichts davon wüßten, daß uns jedoch so sei, als ob wir dieses Kostüm schon einmal irgendwo gesehen hätten.

«Nein, nein», sagte der Alte und schüttelte den Kopf wie ein eigensinniges Kind, «das ist ganz ausgeschlossen. Es ist ja noch nicht fertig, sonst hätte ich es doch schon an. Es ist doch mein Kostüm!»

Wir baten ihn, uns doch von seiner Rolle zu erzählen.

«Sie ist sehr schön», begann er, «und die wichtigste, das versteht sich. Ich spiele den Glücklichen Herrscher.»

Wir vermuteten, daß es sich um ein historisches Stück handle, aber der Alte schüttelte wieder den Kopf.

«Nein, keineswegs. Für dergleichen würde ich meine Darstellungskunst nicht zur Verfügung stellen. Es handelt sich vielmehr um wirkliches Theater, also um ein Märchen, oder – wenn ihr die

Bezeichnung vorzieht – um ein Mysterienspiel. Zu Beginn sitzt der Glückliche Herrscher als König auf einem gewaltigen steinernen Thron, einem Thron wie ein Berg. Ich, also der König, herrsche über ein grenzenloses Reich – aber ich bin nicht frei. Mein linker Fuß ist an dem steinernen Thron festgeschmiedet. Nun entsteht ein Aufruhr, angezettelt vom Schreiber des Königs. Dieser und einige andere Diener wollen mich stürzen, um sich selbst auf den Thron zu setzen. Doch zeigt es sich, daß ich – also der König – nicht abzusetzen bin, da ich ja eben an den Thron festgeschmiedet bin und die Kette unzerreißbar ist.»

Der Alte verstummte und blickte erwartungsvoll drei Männern entgegen, die den Korridor herunter kamen. Sie trugen behutsam ein königliches Gewand und zwar dergestalt, daß zwei von ihnen je einen der langen Ärmel ausgespannt hielten, der dritte aber die Schleppe trug, so daß das Kleid selbst fast wie eine Person erschien, die zwischen ihnen schwebte. Es war ohne Zweifel ein Frauengewand.

Nachdem die drei Männer es sorgsam auf den Schoß des Alten gelegt hatten, gingen sie schweigend davon. Dieser strich mit der Hand gedankenverloren über die kostbare Goldstickerei, doch schien er dem Kleid weiter keine Beachtung zu schenken.

«Da die Kette unzerreißbar ist», fuhr er in seiner Erzählung fort, «schlagen die Aufrührer das Bein des Königs ab und zerren ihn von seinem Thron herunter. Wie er so hilflos am Boden liegt, ein Bündel Blut und Schmerz, nehmen sie ihm noch die goldene Krone und setzen ihm eine papierene aufs Haupt. Sie halten ihn für tot. Es ist Nacht, der Sturmwind heult. Sie schleppen ihn vor die Stadt hinaus und werfen ihn in eine Müllgrube.»

Der alte Schauspieler hielt bewegt inne.

«Lumpensammler finden den reglosen Körper, entdecken noch ein Fünkchen Leben in ihm, nehmen ihn mit in ihre Wohnlöcher und pflegen ihn im Verborgenen, bis seine schreckliche Wunde verheilt ist. Darüber geht viel Zeit hin. Die Häscher des neuen Herrschers, des Schreibers, sind überall und haben tausend Augen und Ohren. Darum bitten die Lumpensammler den König zu fliehen in die Wildnis der Berge, wo niemand ihn finden kann. Sie geben ihm alte Fetzen zum Anziehen und Krücken, auf denen er sich fortbewegen kann.»

Wieder hielt der Alte inne und richtete sich gespannt auf. Den Korridor herunter kamen zwei Frauen, die zwischen sich einen aus allerlei Flikken zusammengenähten kleinen Anzug trugen, dessen eines Bein in Höhe des Knies abgeschnitten und zusammengezogen war. Es handelte sich, nach der Größe zu schließen, um ein Kleidungsstück für ein etwa sechsjähriges Kind. Die beiden Frauen warfen dem Alten das Lumpenkleidchen vor die Füße, nahmen das königliche Frauengewand von seinen Knien und verschwanden damit den Korridor hinunter.

Nach einem kleinen entschuldigenden Lächeln fuhr der Alte in seinem Bericht fort: «Damit er nicht ganz schutzlos sei und sich ernähren könne, geben sie dem König außerdem noch einen Bogen und einen Köcher voller guter Pfeile mit. So irrt der einbeinige Mann mit seiner Papierkrone auf dem Haupt nun lange Zeit durch die Schluchten und Wildnisse eines Landes, das er nicht kannte und über welches er doch herrschte. Er ist ein guter Schütze und ein erfahrener Jäger, niemals fehlt sein Pfeil, wenn er ein Wild schießt – und doch werden die Pfeile in seinem Köcher durch ein geheimnisvolles Verhängnis weniger und weniger. Schließlich sind es nur noch sieben. Da packt den Einsamen wilder Zorn gegen die Mächte des Schicksals. In einer Nacht, die noch finsterer und sturmzerwühlter ist als jene andere, schleppt er sich auf den Gipfel des höchsten Berges. Auf der kahlen, eisigen Felsschroffe hockt er sich nieder. Seine Krücken schleudert er mit lautem Hohngelächter in den Abgrund, dann schießt er, ungeheuerliche Flüche und Verwünschungen heulend, alle Pfeile, die ihm noch verblieben sind, hinauf in den wolkenwälzenden Himmel. Erhobenen Hauptes wartet er auf den Blitzstrahl, der ihn für seinen Frevel zerschmettern wird. Doch nichts geschieht.»

Zum dritten Mal unterbrach der Alte seine

Erzählung. Den Korridor herunter kam ein einzelnes Kind, das sich mit einem großen Haufen Stoff auf seinen Armen abschleppte. Als es seine Last vor dem Alten niederlegte, war zu sehen, daß es sich um einen ledernen Pilotenanzug handelte, samt Brille, Stulpenhandschuhen und pelzgefütterten Stiefeln. Das Kind nahm schweigend die Lumpen auf und verschwand in der gleichen Richtung wie die Vorigen.

Der alte Schauspieler hatte auch diesmal dem Vorgang keine sonderliche Beachtung geschenkt. Nun stand er auf und warf sich die Pferdedecke nach Art einer Toga um den ausgezehrten Leib. Mit leuchtenden Augen und großer Gebärde fuhr er in seiner unterbrochenen Rede fort:

«Noch immer sitzt der König auf der Felsschroffe, sein Bart, sein Haar, die Fetzen seines Kleides wehen im Sturm. Da hört er das Wiehern von Rossen. Sieben Reiter kommen durch die Wolken auf ihn zu. Sie tragen leuchtend weiße Gewänder, sie sitzen auf leuchtend weißen Pferden. Während sie langsam herankommen, erkennt der König, daß jedem der Reiter ein Pfeil mitten im Herzen steckt. Also doch, denkt er, nun endlich kommt die Vergeltung, die göttliche Rache! Die Reiter sind heran, sie steigen von ihren Pferden, sie treten vor ihn hin – und verneigen sich ehrerbietig. Dann ziehen sie die Pfeile aus ihrer Brust und legen sie, einer nach dem anderen, vor ihm nieder. Der König vermag nicht zu sprechen. Seine

Hände tasten über die Pfeile, die zu leuchtendem Gold geworden sind. Er blickt auf, schaut in die Augen der weißen Reiter – und erkennt sie ...»

Hier unterbrach der Alte noch einmal seinen Bericht, denn wieder kam eine Gruppe von Menschen durch den Korridor heran, diesmal aus der entgegengesetzten Richtung. Es war einer der drei Männer, eine der beiden Frauen und ein Kind, aber ein anderes als jenes, das die Pilotenkleidung gebracht hatte. Sie nahmen diese vom Boden auf und gingen, ohne etwas anderes dafür zu hinterlassen, in der Richtung davon, aus welcher die Gruppen zuvor gekommen waren. Der alte Schauspieler setzte sich auf seinen Schemel nieder, zog die Pferdedecke fröstelnd um seinen Leib und schien auf einmal sehr erschöpft.

Wir drangen in ihn, uns doch zu Ende zu erzählen und uns zu verraten, wer die wunderbaren Reiter seien, die der König erkannt habe. Aber der Alte schüttelte nur wieder eigensinnig den Kopf und sagte: «Wie soll ich das wissen?»

Ob er es uns denn nicht mitteilen dürfe, ob es ein Geheimnis sei?

Er antwortete müde: «Wenn ich meine Rolle gespielt haben werde, dann werde ich es wissen – und ihr auch. Wozu wäre sonst das ganze Spiel notwendig?»

Plötzlich nahm sein Gesicht einen leidvollen, ja gequälten Ausdruck an, und er fragte hastig: «Oder haltet ihr für möglich, daß inzwischen jemand anders meine Rolle gespielt haben könnte? Ich warte schon so lang. Glaubt ihr, daß es das gibt?»

Das Feuer wurde von neuem eröffnet. Die nächtliche Zitadelle war ein Inferno aus pfeifenden Kugeln, jaulenden Querschlägern, heulenden Granaten und dem Donnern einstürzender Mauern und Decken.

Der bärtige Diktator floh mit weitausgreifenden, halb schwebenden Sprüngen durch die finsteren Korridore, durch Hallen und Loggien, fiel in der Dunkelheit über zerborstene Statuen und verfing sich in zu Boden gestürzten Kronleuchtern, rollte eine marmorne Treppe hinunter, blieb liegen, raffte sich auf und taumelte weiter. Seine schwarzglänzende Lederuniform war zerfetzt und von vielen Einschüssen durchlöchert, sein gewaltiger Körper von zahllosen Kugeln durchbohrt, sein Herz, seine Lungen, seine Leber und seine Eingeweide, sogar mitten auf der Stirn leuchtete blutig ein rundes kleines Loch wie ein böses drittes Auge. Er war tödlich verwundet, aber er konnte nicht sterben. Er hatte es immer gewußt, alle hatten es gewußt, er war unsterblich.

Dennoch machten sie Jagd auf ihn, sie alle, deren Jäger er bisher gewesen war. Er war unsterblich, aber er war nicht unverwundbar. Er fühlte den Schmerz, der seinen Körper mit unerträglicher Leere ausfüllte, als sei er eine Hohlform und die Luft um ihn her sternglitzernder Granit.

Er suchte Zuflucht in den Sälen der Staatsarchive, doch hier waren Barrikaden aus Geheimakten errichtet, hinter denen hundert Mündungsfeuer aufblitzten. Er warf sich zu Boden, kroch weiter, suchte Deckung hinter Mauern aus Gerichtsakten, robbte durch Laufgräben aus Dossiers, zog sich mit den Fingernägeln vorwärts, grub sich durch Halden aus zerfetzten und angekohlten Haftbefehlen und blieb zuletzt mit pfeifendem Atem liegen.

Ich möchte schlafen, dachte er, fünf Minuten oder hundert Jahre. Aber der Krieg ist noch nicht zu Ende. Der Krieg ist nie zu Ende. Und solange Krieg ist, bin ich nicht geschlagen. Sie benützen meine eigenen Waffen gegen mich, deshalb können sie mich niemals besiegen.

Er hob vorsichtig den Kopf, alle viere von sich gestreckt. Erst jetzt kam ihm zu Bewußtsein, daß ihn Stille umgab. Eine Feuerpause war eingetreten, endlich.

Goldene Dämmerung herrschte rings umher.

Er setzte sich auf. Der Mosaikboden unter ihm zeigte, soweit er es in der Verkürzung ausmachen konnte, das Bild eines Pelikans, der seine Brut mit dem Blutstrahl aus seiner eigenen Brust tränkte. Daneben die Inschrift in Goldlettern: *Amor Amoris Gratias*. Der Diktator hatte einen Geschmack von Kupfer und Grünspan im Mund, er wollte ausspucken, aber er hatte keinen Speichel.

Eine kreisrunde, riesenhafte Marmorhalle wölbte sich über ihm. Er selbst saß winzig genau im Zentrum, im Schwarzen der Zielscheibe – sozusagen. Er verzog den Mund, wischte sich das Blut aus dem Bart und stellte sich auf seine Füße. Er mußte sich in Sicherheit bringen.

Türen schien es nicht zu geben, Fenster auch nicht. Das goldene Dämmerlicht kam von oben, nicht zu sehen, woher. Wie war er hier hereingekommen? Das war nun schon gleichgültig. Wichtig war, wieder hinauszukommen.

Eine gewaltige Steintreppe, von dicken Säulen getragen, schwang sich in weitem Halbkreis aufwärts. Hoch droben mündete sie in einen Rundgang, der um die ganze Hallenwand lief. Von dort aus führten weitere Treppen kreuz und quer in noch höhere Rundgänge, wo sich immer neue Durchblicke auf Treppen, Gewölbe und Loggien ergaben, alles prunküberladen und goldglänzend. Dazwischen allenthalben Figuren aus Stein oder Bronze, kleinere und riesenhafte, zahllose menschliche Gestalten in faltenreiche Gewänder gehüllt, ausgestreckte Finger, erhobene Hände, Gebärden der Würde, des Belehrens, der Verzükkung, der Strenge. Manche riefen unhörbare Botschaften hinauf und hinunter, dringende Botschaften offenbar, denn die, welche sie empfingen, waren erregt und erschüttert, das war deutlich zu sehen. Ein außerweltlicher lautloser Disput, der wichtigste Entscheidungen zu treffen hatte und niemals zu Ende kam. Vielleicht ging es auch ihnen um die Frage der Macht, die Frage aller Fragen.

Der Diktator machte sich an den Aufstieg, langsam, Schritt für Schritt. Die Treppe war hoch wie ein Berg. Auf der obersten Stufe setzte er sich nieder und sammelte neue Kräfte. Dann hinkte er weiter, durch die Loggia im Halbkreis an der Wand entlang, fand schließlich den Zugang zu einer der vielen anderen Treppen, doch diese war nun schmal und schlang sich eng um eine dicke grüne Steinsäule. Ihre Stufen waren spiegelblank, und ein Geländer gab es nicht. Er tastete sich mit der Hand an der Säule entlang und schaute nicht hinunter. Er wußte nicht, wie hoch er war, irgendwo in der Kuppel jedenfalls.

Die Wendeltreppe endete unter einer der Kassetten, aus denen sich die Decke zusammensetzte. Der Diktator stemmte von unten seine Schultern dagegen, um sie zu öffnen, doch vergebens. Erst als er keuchend innehielt und sich abermals niedersetzte, öffnete sie sich von selbst nach unten, fiel ihm entgegen. Er klomm durch die Öffnung hinauf.

Vor ihm lag in grauem dunstigem Licht ein langer schnurgerader Korridor, der bis zum Horizont zu reichen schien. In beiden Wänden befand sich in gewissen Abständen immer die gleiche spinatgrüne Tür. Daß es die gleiche war, zeigte schon die Nummer 401, die auf allen wiederkehrte. Ihm fiel der nach kalter Angst riechende Flur jenes Schulhauses ein, das er als Kind so gehaßt und gefürchtet hatte. Es war nicht gut, hierher zurückzukehren. Aber er konnte nicht umkehren, denn die Klappe im Boden war unauffindbar.

Also zwang er sich weiterzugehen. Er hörte nichts als seinen eigenen humpelnden Schritt, stampfend und ungleichmäßig wie das Pochen eines versagenden Herzens. Der Korridor nahm kein Ende.

Dann blieb er stehen, denn von weitem drang das Bimmeln von Glöckchen an sein Ohr. Er versuchte das graue, dunstige Licht mit seinem Blick zu durchdringen. Aus der Ferne, dorther, wo die Wände des Korridors in einen Punkt zusammenliefen, kam langsam eine kleine Prozession von Menschen heran. Der Diktator zog die Pistole aus dem Halfter an seinem Gürtel und entsicherte sie.

Es dauerte lange, bis sie heran waren. Voran ein etwa sechsjähriges Kind in einem knöchellangen Spitzenhemd, in jeder Hand ein silbernes Glöckchen. Hinter ihm schritt ein alter Mann, ebenfalls im langen Spitzenkleid, doch hatte er eine Schürze umgebunden und trug auf dem Kopf eine blütenweiße hohe Kochmütze. In einer Hand hielt er einen goldenen Kelch, auf dem ein umgekehrter silberner Teller lag, den er behutsam mit der anderen Hand festhielt. Ihm folgten zwei Kinder, die silberne Kohlenbecken trugen, aus denen ein wenig Rauch aufstieg. Danach kamen weitere Kinder, alle in den gleichen Spitzenhemden, die Gabeln, Löffel, Büchsen, Siebe und anderes Küchengerät trugen.

Der Diktator stellte sich breitbeinig in die Mitte des Korridors und hob die Pistole.

«Halt! Stehenbleiben!» sagte er mit blutloser Stimme.

Der alte Mann mit der Kochmütze schien ihn tatsächlich erst jetzt zu bemerken. Mehr erstaunt als erschrocken hob er die Augen von dem Kelch in seinen Händen und richtete sie auf den Diktator. Die Kinder blieben ängstlich zurück, aber der Alte ging weiter auf die Pistole zu. Der Diktator spannte den Hahn.

«Bleib stehen!» sagte er noch einmal, jetzt lauter, denn es kam ihm in den Sinn, daß der alte Mann vielleicht taub war. Vielleicht tat er aber auch nur so. Jetzt, wo die Sache des Diktators verloren schien, war die Welt voller Verräter. Und kein Mittel war ihnen zu schlecht. Nun gut, ihm auch nicht.

«Wohin?» stieß er hervor und richtete die Pistole auf das Gesicht des Alten. Der blickte nachdenklich in die Mündung der Waffe, dann musterte er ruhig die zerfetzte und durchlöcherte Lederuniform, den blutverkrusteten Bart, die Einschußwunde auf der Stirn seines Gegenübers, dann erst sah er ihm in die Augen. Er nahm sich Zeit zu alledem, und der Diktator fühlte kalt und süß den Haß in seine brennende Kehle steigen. Das erleichterte ihn, stimmte ihn geradezu dankbar. Er war es müde, aus kalter Vernunft zu töten.

Der Mann mit der Kochmütze schien nun begriffen zu haben. Er senkte demütig den Blick, verneigte sich ein wenig und murmelte:

«Mein Sohn – lassen Sie uns bitte weitergehen. Wir haben es eilig.»

Der Diktator mußte grinsen über soviel Einfalt.

«Geduld, mein Vater, nur Geduld!»

Und einem plötzlichen Einfall folgend, klopfte er mit dem Lauf der Pistole an den Kelch.

«Betrachten Sie mich als Ihren Gast, Vater. Wollen Sie mir nicht ein Schlückchen anbieten? Mich dürstet.»

Im Gesicht des Alten regte sich keine Miene, möglicherweise hatte er wiederum nicht verstanden. Nach einer Weile raunte er in vertraulichem Ton:

«Verstehen Sie bitte, es geht um einen letzten Dienst.»

«Sie scherzen!» erwiderte der Diktator, und die Stimme versagte ihm fast vor Wut. Er holte mit pfeifenden Lungen Luft und richtete sich hoch auf.

«Falls Sie es noch nicht bemerkt haben, Vater: Dort draußen ist eine Welt voll von Sterbenden.

Sie liegen in Haufen auf den Straßen und Plätzen. Man versteht sein eigenes Wort nicht mehr in ihrem Gebrüll. Sie kriechen einem zwischen den Füßen herum, sie klammern sich an einen, man wird sie nicht los. Die Welt, Vater, besteht nur noch aus Sterbenden. Die Welt selbst liegt im Sterben. Aber Sie, Vater, Sie müssen dringend zu einem besonderen Sterbenden, beruflich sozusagen, und dabei wünschen Sie nicht gestört zu werden.»

«Ja», antwortete der Alte und sah den Diktator traurig an, «so ist es. Was soll man machen?»

«Gut», sagte der Diktator nach kurzem Überlegen, «ich werde Sie begleiten. Ich bin neugierig, diesen einen privilegierten Sterbenden zu sehen.»

«Ich habe nur von einem letzten Dienst gesprochen, mein Sohn», antwortete der Alte und neigte seine Kochmütze. Dann winkte er den Kindern, sie formierten sich in der gleichen Ordnung wie zuvor, und die kleine Prozession setzte sich von neuem in Bewegung. Der Diktator, die Waffe noch immer in der Hand, hinkte neben dem Alten her.

Die immer gleiche spinatgrüne Tür mit der Nummer 401, die in regelmäßigen Abständen an ihnen vorbeizog, ließ im Diktator nach und nach den Eindruck entstehen, als kämen sie überhaupt nicht vom Fleck, als gingen sie seit Stunden auf der gleichen Stelle.

Lange Zeit später sagte er:

«Wozu soviel Aufhebens mit den Sterbenden? Früher oder später wären sie auf andere Weise gestorben.»

«Das ist wahr», antwortete der Alte, «aber es ist nicht das gleiche.»

«Was macht es für einen Unterschied?» fragte der Diktator.

Der Alte überlegte eine Weile, ehe er murmelte: «Zumindest für dich macht es einen. Warum hast du das alles angerichtet?»

«Ich war dazu gezwungen», versetzte der Diktator. «Ich bedaure nichts. Um keinen von allen tut es mir leid.»

Und nach einer Weile setzte er leiser hinzu:

«Ich beneide sie darum, daß sie sterben können.»

Sie gingen langsam weiter, von einer Tür zur nächsten, und es war wiederum ungewiß, ob der Alte die Worte gehört hatte. Aber nach einer langen Pause wiederholte er:

«Du warst dazu gezwungen? Also warst du nicht mächtig genug, wenn sie dich zwingen konnten?»

«Um die Macht zu bekommen», antwortete der Diktator, «mußte ich sie denen nehmen, die sie hatten. Und um sie zu behalten, mußte ich sie gegen diejenigen gebrauchen, die sie mir nehmen wollten.»

Der Alte nickte.

«Das ist eine alte Geschichte. Sie hat sich

tausendmal wiederholt. Aber niemand glaubt sie. Darum wird sie sich noch tausendmal wiederholen.»

Der Diktator fühlte sich plötzlich sehr müde und hätte sich gern niedergesetzt, aber der Alte und die Kinder gingen weiter, und er folgte ihnen.

«Und du?» stieß er hervor, als er wieder neben ihm ging, «was weißt du von der Macht? Glaubst du, daß irgend etwas Großes auf Erden bewirkt werden kann ohne sie?»

«Ich?» fragte der Alte mit der Kochmütze, «ich weiß nicht, was groß ist oder klein.»

«Ich wollte die Macht haben, um Gerechtigkeit zu schaffen», schrie der Diktator, und aus seiner Stirnwunde begann das Blut von neuem zu fließen, «aber um sie zu bekommen, mußte ich Unrecht begehen. Jeder muß es, der sie haben will. Ich wollte die Unterdrückung beenden, aber dazu mußte ich diejenigen, die mich daran hindern wollten, in den Kerker werfen und vernichten. Ich mußte zum Unterdrücker werden. Um die Gewalt abzuschaffen, müssen wir Gewalt anwenden. Um das Elend zu beseitigen, müssen wir Elend hervorrufen. Um den Krieg unmöglich zu machen, müssen wir Kriege führen. Um die Welt zu retten, müssen wir die Welt vernichten. Das ist die Wahrheit der Macht!»

Er keuchte. Er hatte sich dem Alten von neuem in den Weg gestellt und die Pistole schußbereit gehoben.

«Und doch liebst du sie noch immer», sagte der Alte leise.

Die Stimme des Diktators klang jetzt brüchig.

«Sie ist die Tugend aller Tugenden. Sie hat nur einen Fehler, aber der verdirbt alles: Sie ist niemals vollkommen. Darum ist sie unersättlich. Nur die Allmacht ist wirkliche Macht. Aber die ist unmöglich. Darum bin ich von ihr enttäuscht. Sie hat mich betrogen.»

«Und so», versetzte der Alte, «bist du der geworden, den du bekämpfen wolltest. Und das geschieht immer wieder. Darum kannst du nicht sterben.»

Der Diktator ließ langsam die Waffe sinken.

«Ja», sagte er, «so ist es. Was soll man machen?»

«Kennst du denn nicht» fragte der Alte, «die Legende vom glücklichen Herrscher?»

«Nein», antwortete der Diktator, «und deine Geschichten interessieren mich nicht.»

Dennoch ließ er zu, daß der Alte ihn bei der Hand nahm und weiterführte. Er hörte die Greisenstimme halblaut neben sich reden und reden, hörte Worte, aber er hörte nicht zu. Er versuchte sich zu erinnern, wofür er eigentlich um die Macht gekämpft hatte und auf welcher Seite, aber er konnte sich nicht mehr erinnern.

Lange Zeit später erst drangen die Worte des Alten in sein Bewußtsein:

«. . . als er daran ging, seinen riesenhaften, geheimnisvollen Palast zu errichten, dessen Planung allein er zehn Jahre seines Lebens gewidmet hatte und zu welchem, schon lange ehe er vollendet war, die Völker wallfahrteten, um ihn zu bestaunen – da ging er, niemand wird je mit Sicherheit sagen können, warum er es tat, aus Weisheit oder aus Selbsthaß, in der Nacht nach der Grundsteinlegung, als der Bauplatz menschenleer und im Finstern lag, heimlich hin und setzte ein Nest von Termiten in eine Grube unter den Grundstein. Als viele Jahrzehnte später – fast sein ganzes Leben war darüber hingegangen, und er selbst hatte über den vielfältigen Wirren seiner Regierungszeit die Termiten längst vergessen – der unvergleichliche Bau endlich fertiggestellt war und er, der Bauherr und Schöpfer des Ganzen, erstmalig die Zinne des höchsten Turmes betrat, da hatten zur gleichen Stunde auch die Termiten ihr unsichtbares Werk vollendet. Da er selbst und alle, die mit ihm waren, im Staub und Trümmerwerk des zusammenbrechenden Riesenbaues begraben wurden, ist uns nicht überliefert, ob er ein letztes Wort rief, das alles erklärt hätte, aber die Legende behauptet mit erstaunlicher Hartnäckigkeit, das Antlitz seines Leichnams, der später fast unversehrt gefunden wurde, habe ein glückliches Lächeln gezeigt.»

Die Greisenstimme verstummte. Eine der Türen mit der Nummer 401 stand offen, die kleine Prozession bog ein und betrat einen Saal, der bis

E.E.

auf einen großen Lehnstuhl aus rotem Samt an der Stirnwand leer war. Der Alte mit der Kochmütze führte den Diktator zu dem Sessel und hob ihn hinein. Nun saß er wie ein Kind in dem gewaltigen Möbel und blickte auf seine Beine, die gerade ausgestreckt vor ihm auf dem Sitzpolster lagen.

«Wie fühlst du dich, mein Kleiner?» fragte die Greisenstimme, «du siehst aus, als hättest du keinen Tropfen Blut mehr in dir.»

«Ich fühle nichts mehr», antwortete der Diktator, «keine Glieder, keinen Körper, alles ist leer. Hilf mir!»

Der Alte nickte.

«Ich sagte dir doch, daß wir zu einem letzten Dienst müssen.»

Der Diktator hatte keine Kraft mehr, den Kopf zu bewegen, aber er ließ seine brennenden Augen im Saal umherwandern. Außer der Gruppe der Kinder, die sich in einer entfernten Ecke des Saales zusammendrängten, konnte er niemand sehen.

«Ich verstehe», flüsterte er mit einem Versuch zu grinsen, aber es wurde nur eine greinende Grimasse daraus.

«Du verstehst nichts, mein Kleiner», hörte er die Stimme des Alten ganz nah an seinem Ohr. «Du kannst nicht sterben, aber du kannst ungeboren werden.»

Der Diktator nickte und schloß die Augen. Er spürte, wie ihm von sanften, kühlen Händen die

Pistole aus der Hand genommen wurde, und er ließ es geschehen. Dann hörte er, wie der Alte geschäftig allerhand Vorbereitungen traf, und hörte dessen Stimme murmeln:

«Schu schu, so ist es brav, mein Kleiner, brav, mein Kleiner.»

Er zwang sich, seine steinschweren Lider noch einmal zu öffnen.

Erst nach langer Anstrengung gelang es ihm. Er sah vor sich das Greisengesicht, jetzt erschrekkend groß. Der Alte hatte seine Kochmütze abgenommen, so daß ihm langes, fahlgraues Haar bis auf die Schultern fiel. Der Diktator begriff plötzlich, daß es sich in Wahrheit um eine sehr alte Frau handelte.

Geschäftig und betulich wie ein Kindermädchen nickte sie ihm zu. Und während in der Ecke des Saales, nun sehr fern und ganz klein, die Gruppe der Kinder leise zu singen begann, hob sie langsam den Kelch an seine Lippen.

Er trank und trank in gierigen Schlucken. Als der Kelch leer war und ihm fortgenommen wurde, fand er sich als nackter, schrundiger Säugling inmitten der zerfetzten, schwarzglänzenden Lederuniform, die wie eine leere Insektenlarve auf dem Sitzpolster lag. Er wollte schreien, aber aus seinem Mund kam nur ein dünnes Krächzen.

«Schu schu», summte das alte Kindermädchen, «mußt keine Angst haben, mein Kleinchen. Ist gleich alles vorbei. Tut gar nicht weh.»

Sie wickelte ihn in ihre Schürze, winkte, und die Kinder in den Spitzenhemden kamen herbei, immer noch singend, und sie gingen mit ihm durch die Wand hinaus, die sich in graues, dunstiges Licht auflöste.

Die Alte trug ihn auf dem Arm durch den nächtlichen Park der Zitadelle. Eine Weile schien sie eine bestimmte Stelle zwischen den Bäumen und Büschen zu suchen, dann hatte sie sie gefunden. Es war ein Grashügel, durch eine Granate oder ein Erdbeben in der Mitte gespalten, so daß er einem großen Schoß glich. Die Alte ging mit ihm dort hinein. Als sie ihn aus ihrer Schürze wickelte, blieb er stumm. Er war jetzt ein winziger gekrümmter Fötus mit aufgetriebener Stirn. Sie legte ihn, nackt wie er war, sorgsam in die Tiefe der Erdspalte auf den Boden.

«*Schu schu,* mein Kleinchen, schlaf jetzt.»

Er sah, wie sie zu den Kindern zurückkehrte, die unter den Bäumen warteten. Dann begann der Schoß der Erde sich langsam, unmerklich langsam zu schließen. Hinter der schwarzen Gruppe der Kinder und der Alten ging plötzlich die ganze, riesige Zitadelle in Flammen auf. Das Feuer glich einer einzigen ungeheuren Papageientulpe.

Der Zirkus brennt. Das Publikum ist Hals über Kopf geflohen. Das Zuschauerrund ist leer, das Zelt von Rauch und Feuer erfüllt. Der Clown steht allein in der Manege. Sein Paillettenkostüm funkelt im Schein der Flammen. Sein Gesicht ist weiß wie Kalk, unter dem linken Auge glitzert die vorgeschriebene Träne. Auf dem Kopf sitzt ihm schief seine kleine spitze Mütze. Er bläst auf blitzender Trompete die große Abschiedsmelodie, erhaben und lächerlich.

Alles ist Traum. Ich weiß, daß alles Traum ist. Ich habe es immer gewußt, seit ich angefangen habe zu träumen, daß ich existiere: Diese Welt ist nicht wirklich.

Er hat sein Lied zu Ende gebracht, ohne Eile und ohne Makel. Er geht hinaus, und hinter ihm brechen die brennenden Balken und Masten ein, die Leinwand bläht sich vom Feuer und sinkt in sich zusammen. Der Nachtwind riecht nach Asche und Hitze.

Draußen stehen die anderen und sehen mit hängenden Armen dem Brand zu. Alle wußten, daß es so kommen würde. Keiner hat Anstalten gemacht, irgend etwas zu retten. Keiner hat nach dem Clown gerufen, während er in den wirbelnden Funken stand, keiner war besorgt um ihn, auch er selbst nicht. Ihre Gesichter sehen im Widerschein aus wie die von Schlafenden. Es hat ein wenig zu regnen begonnen, aber zu spät und längst nicht genug, nur gerade eben so viel, daß allen die Haare naß in die Stirn hängen.

Wenn man im Traum weiß, daß man träumt, ist man kurz vor dem Aufwachen. Ich werde gleich aufwachen. Vielleicht ist dieses Feuer nichts anderes als der erste Strahl der Morgensonne einer anderen Wirklichkeit, der sich unter meine geschlossenen Lider drängt.

Langsam wird es dunkel. Der Brand sinkt nach und nach in sich zusammen. In den Häusern ringsum ist kein Fenster erleuchtet. Sie stehen schwarz und hohläugig in der Dämmerung. Von ferne hört man Geschrei, dann einige Schüsse und das harte Bellen einer Maschinenpistole. Es sind die üblichen Geräusche, die die Nacht ankündigen, die Nacht voller Mord, voller Qualen und Verhöre, die Nacht, in der keiner keinem traut.

Es ist verboten aufzuwachen. Schon der Wunsch aufzuwachen gilt als Fluchtversuch, als Hochverrat. Man muß ihn geheim halten.

«Wenn ihr mich fragt», sagt der Direktor im Dunkeln, «haben *sie* das Feuer gelegt, als Vergeltung oder als Warnung . . .»

Er stochert in der Asche. Alle wissen, wovon er redet. Vor zwei Tagen ist einer umgebracht worden, mitten zwischen den Zuschauern. Es war einer von der Mordmiliz, einer der Aufseher, die überall sind. Als alle Leute gegangen waren, saß er noch immer da in seiner schwarzglänzenden Lederuniform, aber er war tot, erwürgt. Niemand hatte es bemerkt, als es geschah, niemand hatte es bemerken wollen.

«Das hat keiner von uns gemacht», sagt jemand.

«Nein», antwortet der Direktor, «aber das hilft uns nichts, wie ihr seht.»

Nach langem Schweigen murmelt eine Frauenstimme: «Das kann doch nicht ewig so weitergehen.»

«Das geht so weiter», sagt der Direktor, «bis wir dem ein Ende machen. Darum geht es ab jetzt.»

Es geht darum aufzuwachen.

«Wenn wir nichts unternehmen», fährt der Direktor fort, «wird es immer so weiter gehen. Wir müssen uns entscheiden. Wir müssen kämpfen. Wir müssen uns denen, die kämpfen, anschließen.»

Der Clown wendet sich ab und schlurft durch die Pfützen zu seinem Wohnwagen. Er ist plötzlich todmüde. Lange Zeit sitzt er vor dem Spiegel und betrachtet sein mehlweißes Gesicht mit der Träne unter dem linken Auge. Dann beginnt er, sich abzuschminken. Darunter kommt ein anderes Gesicht zum Vorschein. Es ist noch viel unwirklicher, ein Niemandsgesicht, ein Irgendgesicht, es ist ihm ganz fremd, es war ihm immer fremd, dies Gesicht. Er versucht einen Augenblick intelligent oder wenigstens ernsthaft auszusehen, aber gleich fallen seine Züge in ihren Ruhezustand zurück, in den Zustand gewohnheitsmäßiger Verwunderung. Es ist das Gesicht eines alten Säuglings.

Erstaunlich genug, daß ich da bin. Aber noch viel erstaunlicher, daß ich so alt werden konnte. Ich habe mir Mühe gegeben, Damen und Herren, ich habe getan, was mir möglich war. Ich sagte mir: Wenn alle anderen diese Welt ertragen, denen es doch sicher auch nicht leichter fällt als mir ... Ich habe mein Leben lang gewartet und bin alt geworden in der Erwartung aufzuwachen, und seht her, wo ich bin! Ich beneide sie alle um ihre Unbekümmertheit. Ich bin bekümmert.

Während er sich umzieht, kommt der Direktor herein, in Hut und Regenmantel, den unvermeidlichen kalten Zigarrenstummel zwischen den Zähnen. Die lange Manegenpeitsche mit dem kurzen Griff hat er unter den Arm geklemmt, die Schnur ist um den Stiel gewickelt. Er schüttelt den Hut aus, legt ihn auf den Schminktisch, die Peitsche daneben. Dann setzt er sich rittlings auf den Stuhl, die Lehne zwischen den Knien. Das bedeutet, er hat etwas Wichtiges zu sagen. Der Clown steht da und bemüht sich, aufmerksam auszusehen.

«Also», sagt der Direktor, «du weißt, worum es geht.»

Er schaut sich um, als befürchte er, jemand könne in dem kleinen Raum zuhören.

Der Clown nickt.

Es geht darum aufzuwachen.

«Wir machen mit», fährt der Direktor mit gedämpfter Stimme fort, «jetzt bleibt uns nichts anderes mehr übrig. Die anderen sind alle einverstanden. Und du?»

Der Clown nickt wieder.

Der Direktor faßt ihn an der Schulter und schüttelt ihn ein wenig. «Hör mal, jetzt geht es nicht mehr um deine Nummer. Es geht überhaupt nicht mehr um den Zirkus. Das ist alles vorbei seit heute abend. Das sind Dinge für normale Zeiten.»

Dinge für einen anderen Traum.

«Du mußt dich entscheiden», sagt der Mund mit dem Zigarrenstummel, «für uns oder gegen uns, heiß oder kalt. Wer sich da rauszuhalten versucht, ist ein Verräter und wird als Verräter behandelt, von allen.»

Es ist verboten aufzuwachen.

Der Clown nickt zum dritten Mal.

«Gut», hört er die knarrende Stimme des Direktors, «wir verlassen uns also auf dich, mein Alter. Wir erwarten dich um Mitternacht zur Sitzung des Komitees. Aber sei pünktlich, hörst du? Dort wirst du alles weitere erfahren. Hier ist die Adresse.»

Der Direktor gibt ihm einen Zettel in die Hand.

«Lies sie, merke sie dir und verbrenne sie dann! Auf keinen Fall darf sie jemand anders erfahren, wer es auch ist. Verstanden?»

Der Clown nickt und nickt.

Der Direktor gibt ihm einen kleinen, freundschaftlichen Klaps auf die Backe, nimmt seinen Hut und geht. Die Peitsche hat er vergessen. Der Clown betrachtet sie, wie sie da auf dem Schminktisch liegt, greift vorsichtig danach und legt sich mit ihr aufs Bett. Er wickelt die Schnur los, rollt sie wieder auf, wickelt sie von neuem los.

Schließlich kann ich doch wohl nicht der einzige sein, der was gemerkt hat. So schlau bin ich doch gar nicht. Man ist nur übereingekommen, nicht darüber zu reden. Oder wollen sie es gerade so? Gefällt ihnen allen dieser Traum?

Der Clown steht auf, zieht sich seinen alten Mantel an, wickelt sich einen langen Schal um den Hals und setzt seinen Hut auf. Er liest noch einmal die Adresse, dann verbrennt er den Zettel im Aschenbecher. Die Flämmchen züngeln und erlöschen.

Draußen, hinter dem Platz, wo die Wohnwagen stehen, beginnt eine kleine, zertretene Wiese. Dort trifft er auf eine Gruppe von Kollegen, die alle schweigend in eine Richtung blicken. Er nähert sich, um zu sehen, was es gibt.

In einiger Entfernung, dort wo die beleuchtete Straße beginnt, die nach der Innenstadt zu führt, treiben einige schwarz uniformierte Milizsoldaten etwa zwanzig Männer und Frauen vor sich her, deren Hände auf den Rücken gefesselt sind. Obgleich keiner der Verhafteten sich wehrt, prügeln die Uniformierten ständig mit Knüppeln auf sie ein.

Schon der Wunsch aufzuwachen gilt als Verbrechen.

«Ich kann sowas nicht sehen», knirscht eine Akrobatin, die vor dem Clown steht, «ich kann's einfach nicht mit ansehen.»

Ihr Partner, der neben ihr steht, versucht sie festzuhalten, aber sie reißt sich los und rennt auf die Gruppe der Verhafteten zu. Sie hat noch immer ihr Trikot an, nur einen Mantel über die Schulter geworfen. Sie umkreist die Uniformierten einige Male, vollführt alle möglichen provozierenden Bewegungen und schreit ihnen Beschimpfungen ins Gesicht, dabei verliert sie ihren Mantel. Die Milizsoldaten beachten sie nicht einmal. Statt dessen fällt einer der Verhafteten plötzlich wie tot zu Boden. Einer der Uniformierten stößt ihm den Stiefel in die Seite. Da das nichts nützt, schlägt er mit dem Knüppel auf den Mann ein. Die übrigen Verhafteten sind stehen geblieben und sehen mit bleichen, halb schlafenden Gesichtern zu.

Die Akrobatin kommt, nun ohne ihren Mantel, zur Gruppe der Zirkusleute zurück.

«Tut doch was!» stammelt sie. «Steht doch nicht da wie Idioten! Tut doch was!»

Ich habe mir immer Mühe gegeben, Damen und Herren, ich habe getan, was mir möglich war.

Der Clown schiebt sich nach vorn. Er tätschelt der Akrobatin die Backe und murmelt: «Laßt mich das mal machen.»

Erstaunte Blicke treffen ihn. Die Akrobatin flüstert: «Habt ihr gehört?»

Wie kann man Angst haben, wenn man gleich aufwachen wird? Auch ich bin nur ein Traum. Meine Existenz ist lächerlich und unbegreiflich.

Inzwischen sind zwei andere Schwarzuniformierte mit Maschinenpistolen unterm Arm zwischen den Wohnwagen aufgetaucht und kommen auf die Gruppe der Zirkusleute zu. Der Clown geht ihnen entgegen. Sie halten inne, die Waffen im Anschlag. Ihre Gesichter sind jung, kindlich und ein wenig gedunsen. Sie sehen aus, als schliefen sie mit offenen Augen.

Der Clown zieht die zusammengerollte Peitsche des Direktors aus der Manteltasche und tippt damit grüßend an den Rand seines Hutes. Die beiden Uniformierten schauen unsicher auf die Peitsche, dann tauschen sie einen raschen Blick miteinander und stehen stramm.

«Kennt ihr mich?» fragt der Clown in scharfem, befehlsgewohntem Ton.

Abermals wechseln die beiden einen unsicheren Blick, dann sagt der eine: «Zu Befehl, nein.»

«Ihr werdet mich kennen lernen», fährt der Clown fort, «und ich garantiere euch, daß es euch leid tun wird, mir in den Weg gelaufen zu sein! Habt ihr gesehen, was dort drüben passiert ist?»

«Zu Befehl, nein», sagt diesmal der andere Soldat.

«Was für ein Hornochse hat hier eigentlich das Kommando?» bellt der Clown sie an, «keiner weiß vom anderen, keiner weiß, was los ist, jeder wurstelt für sich herum, wie er Lust hat! Das Wort Disziplin scheint hier ein Fremdwort zu sein. Dort drüben werden Leute abgeführt, deren Verhaftung *mir* vorbehalten war, ganz alleine *mir!* Diese übereifrigen Idioten haben damit einen unserer wichtigsten Pläne vereitelt! Verdammt nochmal, hier wird nicht Räuber und Gendarm gespielt, verstanden! Beeilt euch gefälligst, ihr Hanswurste, und meldet euren Kameraden da drüben, daß die Gefangenen unverzüglich frei zu lassen sind, unverzüglich! Habt ihr das begriffen?»

«Jawohl», sagt der erste Schwarzuniformierte, «aber was soll ich melden, von wem der Befehl kommt?»

«Von mir!» schreit ihn der Clown an, «sagt diesen gottverdammten Narren, der Befehl kommt von dem Mann mit der Peitsche! Ich hoffe, daß die besser informiert sind als Ihr beide, sonst gnade ihnen Gott. Worauf wartet Ihr noch? Beeilt euch, hopp!»

Die beiden Uniformierten rennen los, nicht sonderlich eilig, sie sind sichtlich konfus. Die Gruppe der Verhafteten und ihrer Wächter ist inzwischen irgendwo in der Dunkelheit verschwunden. Der Clown dreht sich nach den Kollegen um, aber auch die sind fort. Er steht allein auf dem Platz.

Langsam geht er in Richtung Stadtzentrum. Er hat noch viel Zeit bis Mitternacht, aber er wird die Adresse, die der Direktor ihm gegeben hat, suchen müssen. Und er hat einen beklagenswerten Orientierungssinn. Er geht und geht, einen Schritt vor den anderen, blindlings, wie er sein ganzes Leben lang gegangen ist.

Wie jeder sein ganzes Leben lang geht, ohne den nächsten Augenblick zu kennen, ohne zu wissen, ob er beim nächsten Schritt noch auf festen Boden treten oder schon ins Nichts stolpern wird. Diese Welt ist so fadenscheinig, daß jeder Schritt ein Entschluß ist.

Es ist diese besondere Art zu gehen, die die Zuschauer schon zu Anfang seiner Nummer zum Lachen reizt. Er braucht nur in die Manege zu kommen, ein wenig torkelnd immer, irgendwie zaudernd und mit jedem Schritt das Zaudern überwindend, gleichsam trotzig auftretend, als wolle er es darauf ankommen lassen. Wie ein dickköpfiges Kind.

In den Straßen, durch die er kommt, liegen umgestürzte Autos, manche brennen noch ein wenig. Viele Fensterscheiben sind zerbrochen, und das Glas knirscht unter seinen Sohlen. Er steigt über einen toten Hund, und später sieht er in einer Öllache einen Vogel, der auf dem Rücken liegt mit ausgebreiteten Flügeln. Wahrscheinlich hat ihn der Rauch getötet.

Meine Existenz ist unbegreiflich und lächerlich. Aber es lag nie in meiner freien Entscheidung, mir eine andere zu wählen. Man bleibt der, der man ist. Die Freiheit gibt es immer nur in der Zukunft. In der Vergangenheit ist sie nicht mehr zu finden. Niemand kann sich eine andere Vergangenheit aussuchen. Alles, was geschieht, mußte so kommen, wie es kam. Nachträglich ist alles zwangsläufig, vorher nichts. Das einzige, worum es geht, ist aufzuwachen aus dem Traum. Trotzdem laufen wir hinter der Freiheit her, wir können nicht anders, aber die Freiheit ist uns immer einen Schritt voraus wie eine Luftspiegelung, ist immer im nächsten Augenblick, immer in der Zukunft. Und die Zukunft ist dunkel, eine schwarze, undurchdringliche Wand vor unseren Augen. Nein, sie geht mitten durch unsere beiden Augen, quer durch unseren Kopf. Wir sind blind. Von Zukunft geblendet. Wir sehen niemals, was vor uns liegt, niemals die nächste Sekunde, bis wir uns die Nase daran einschlagen. Wir sehen nur, was wir schon gesehen haben. Das heißt also: Nichts.

Der Clown geht in eines der Häuser hinein. Es ist trübe erleuchtet. Die Türen sind zersplittert, in den Wohnungen findet er umgestürzte Stühle, zerschlagene Möbel, Brandspuren, zerrissene Vorhänge. Um einen Tisch sitzen Leute, sie scheinen schon sehr lange hier zu sitzen, denn zwischen ihnen haben Spinnen ihre Netze gewebt. Die Gesichter, ausgedörrt wie die von Mumien, zeigen die Zähne oder haben die Münder weit aufgerissen wie zu unhörbarem Gelächter. Zwischen ihnen bemerkt der Clown einen mageren jungen Mann, der mit dem Kopf auf den Armen schläft. Auf den Staub der Tischplatte sind Zahlen geschrieben, viele Zahlen. Der Junge schläft wie ein Kind, und der Clown geht leise hinaus, um ihn nicht zu wecken.

Er gerät in Hinterhöfe und steigt über zerbröckelnde Mauern und hat sich schließlich, wie er's voraussehen konnte, rettungslos verirrt. Doch beunruhigt ihn das nicht weiter.

Und dann steht er plötzlich auf einem weiten Platz, der hell erleuchtet ist. Aus vielen Schaufenstern eines Warenhauses strahlt Licht.

Der Clown geht von einem zum anderen, alle sind leer. Erst als er um eine Ecke biegt, sieht er eine Ansammlung von Menschen, die vor einer der Glasscheiben stehen und reglos hineinstarren, darunter auch mehrere Schwarzuniformierte. Er ist nicht ganz sicher, aber es kommt ihm so vor, als ob auch die zwei, mit denen er geredet hat, darunter sind – und die anderen, die die Verhafteten abführten, und auch ihre Opfer stehen da. Sie interessieren sich nicht mehr für einander, sie sind ganz in Anspruch genommen von dem, was sie im Schaufenster sehen.

Der Clown stellt sich auf die Zehen und blickt über ihre Köpfe hinweg. Hinter der großen Glasscheibe quirlt es von riesigem Geziefer, von armlangen Panzerwürmern, die sich aufrichten mit tausend flimmernden Beinchen, von handtellergroßen Asseln und von Käfern, schwarz und dick wie Stiefel. Hoch über dem Gewimmel schwebt eine große Kugel, glattpoliert und metallen. Sie schwebt, wie es scheint, frei in der Luft, ganz ohne Haltevorrichtung oder Fäden und dreht sich in jeder Richtung, bald langsam, bald wirbelnd schnell. Auf dieser Kugel sitzt eine Ratte, eine enorme Ratte, fast so groß wie ein Hund. Sie läuft gewandt in der jeweils entgegengesetzten Richtung, um sich auf der Kugel zu halten. Wer weiß, wie lange sie sich schon in dieser schrecklichen Lage befindet. Sie scheint am Ende ihrer Kräfte, ihr Fell ist naß und struppig von Angstschweiß, ihr Maul halb geöffnet, so daß man die gelben langen Nagezähne sieht, ihr Atem geht rasend schnell. Lang wird sie es nicht mehr machen, bald wird sie abgleiten und in das grausige Gewimmel stürzen, das schon gierig mit tausend Fühlern und Zangen nach ihr hinauftastet.

Dieses Schauspiel also ist es, das die Leute vor der Scheibe vereinigt.

Die Hölle ist ein böser Traum, der nie endet. Aber wie bin ich in ihn hineingeraten? Was muß ich nur tun, um endlich aufzuwachen?

Der Clown blickt in die Gesichter der Umstehenden. Ihre Augen sind offen, aber glasig wie die von Schlafenden. Einigen stehen die Münder auf. Keiner beachtet den, der sie so ganz aus der Nähe anstarrt. Sie haben sich auch gegenseitig vergessen. Und er weiß, daß keine dieser lebenden Puppen ihm antworten würde, wenn er sie nach dem Weg fragte. Außerdem darf er es nicht, er darf ja die Adresse nicht nennen, um keinen Preis.

Ich wende mich an dich, an den, der mich träumt, wer du auch sein magst. Ich weiß, ich kann nichts gegen dich ausrichten, du bist der stärkere. Führe mich also, wohin du willst, aber denk daran: Mir machst du nichts mehr vor.

Ohne zu wissen wie, findet sich der Clown nach einer Weile in der Nähe jenes Gebäudes, das ihm vom Direktor bezeichnet worden ist – es handelt sich um eine kleine Artistenpension, die ihm von früher her bekannt ist. Auf der Straße liegen Tote, steif und unmöglich verrenkt wie Schaufensterfiguren. Dazwischen verstreut einzelne Gliedmaßen, auch Köpfe mit Hüten auf und Krawatten um den Hals.

Als der Clown in die Straße einbiegt, wo die Pension liegt, sieht er schon von weitem, daß sie von Menschen erfüllt ist, die hin- und herwogen wie Meereswellen. Vor der Tür der Pension stauen sie sich und branden wieder zurück. Aber alles das geht ohne Laut vor sich und übertrieben langsam. Auch viele Schwarzuniformierte sind darunter und andere Männer in langen Ledermänteln. Jeder scheint auf jeden einzuprügeln mit äußerster Kraft, doch wegen der Langsamkeit der Bewegung wirkt das Ganze wie ein gespenstisches Zeremoniell. Mit weit ausholenden, tanzartigen Bewegungen schlägt jeder die Faust oder das, was er in ihr hält, in das Gesicht dessen, der ihm am nächsten steht. Nichts ist zu hören als ein dumpfes, allgemeines Keuchen und das Klatschen und Krachen der Schläge.

Der Clown wendet sich rasch ab und stellt den Mantelkragen hoch, um sein Gesicht zu verbergen, denn schon ist einer der Schläger auf ihn aufmerksam geworden und zeigt auf ihn. Andere wenden ihre teilnahmslosen, verschwollenen Gesichter herum, und nun kommt ein Dutzend mit langen, halb schwebenden Schritten auf ihn zu. Andere schließen sich an. Der Clown biegt rasch um eine Ecke in eine dunkle Seitengasse ein, dann in die nächste und noch einmal in eine andere. Er schaut im Laufen zurück und sieht keine Verfolger mehr. Vielleicht hat er sie abgeschüttelt.

Es hat keinen Sinn zu fliehen. Es gibt keine Zuflucht. Was hier geschieht, geschieht überall. Es geschieht immer. Wer flieht, geht erst recht in die Falle.

Nachdem er noch einige weitere finstere Gassen durchquert hat, entdeckt er den matt erleuchteten Eingang eines Lokals, einer Bierschänke, wie es scheint. Der Eingang besteht aus einer überdimensionalen Drehtür, vor und in der einige

Betrunkene herumtorkeln. Erst beim Nähertreten kommen dem Clown Zweifel, ob es sich um Betrunkene handelt, denn alle halten die Augen geschlossen und strecken die Arme vor, als wollten sie Blinde spielen. Vielleicht sind es Schlafwandler und Mondsüchtige, denn als der Clown leise einen von ihnen anspricht, antwortet der nicht, sondern fährt fort, mit vorgestreckten Armen herumzuirren. Vielleicht verstellen sie sich, vielleicht auch nicht. Der Clown beschließt einzutreten und im Lokal zu warten, bis er zur Pension zurückkehren kann. Er schiebt sich durch die Drehtür.

Das Lokal liegt im Souterrain, und er stolpert einige Stufen hinunter, die er nicht bemerkt hat. Vor ihm liegt ein schlauchartig langgestreckter Raum, der sich nach hinten zu in Halbdunkel und Rauchschwaden verliert. Nur einige nackte Glühbirnen von geringer Leuchtkraft hängen von der Decke und verbreiten trübes Licht. In der hintersten Ecke zur Linken erhebt sich eine Art Empore, von einem holzgeschnitzten Geländer umgeben. Alle Tische des Lokals, mit Ausnahme des einen auf der Empore, sind dicht besetzt. Halb geleerte Biergläser, umgestürzte Aschenbecher und Speisereste bedecken die Platten. Die Gäste sitzen einer an den anderen gedrängt, viele haben die Gesichter auf die Arme gelegt, manche liegen auch mit der Wange in einer Bierlache, während ihre Arme unter den Tisch baumeln, alle schlafen mit offenen Mündern. Atemgeräusche, Schmatzen und Schnarchen erfüllt die übelriechende Luft. Bisweilen regt sich einer der Schläfer, wälzt seinen Kopf von einer Seite auf die andere und seufzt, als könne er die rechte Bequemlichkeit nicht finden.

Der Clown sucht sich einen Weg zwischen den Tischen, über ausgestreckte Beine hinweg, zu jener Empore im Hintergrund, um den einzigen freien Platz zu erreichen. Er kommt vor dem Holzgeländer an und muß feststellen, daß dieses keinerlei Eintrittsöffnung hat, auch gibt es keine Stufen, die dort hinaufführen. Also klettert er vorsichtig, um keinen der Schläfer zu stören, auf den nächststehenden Tisch und von dort aus über das Geländer. Seufzend läßt er sich auf einem der Stühle nieder, stützt das Kinn in die Faust und wartet.

Sie träumen, daß sie träumen. Sie sind in einem anderen Traum. Man soll sie nicht wecken. Ich möchte schlafen können wie sie.

«Hörst du mir überhaupt zu?» fragt halblaut eine gereizte Stimme.

Der Clown zuckt zusammen. Erst jetzt wird ihm bewußt, daß schon seit einer ganzen Weile jemand leise auf ihn einredet. Es ist der Direktor.

«Aber ja», murmelt der Clown, «ich höre genau zu.» Er fischt in seinem trüben Gedächtnis nach irgendwelchen Worten, die er gehört hat. Es war davon die Rede gewesen, fällt ihm jetzt ein, daß die Sitzung des Komitees im letzten Augenblick hierher verlegt worden sei, weil die Miliz durch irgendeinen Verräter Wind von der Sache bekommen hätte und die Pension abgeriegelt worden sei.

«Es scheint dich nicht sonderlich zu beeindrukken», sagt der Direktor und mustert den Clown mißtrauisch von der Seite. «Hast du eine Ahnung, wer der Verräter gewesen sein könnte?»

Der Clown schüttelt den Kopf.

«Woher wußtest du eigentlich, daß wir hier sind?» forscht der Direktor weiter und kaut auf dem kalten Zigarrenstummel, «oder hat dich der pure Zufall hergeführt?»

Der Clown nickt.

«Viele Zufälle, findest du nicht?» fragt der Direktor.

Der Clown nickt tiefsinnig, dann dreht er sich auf seinem Stuhl um und sagt laut: «Aber die Bedienung ist katastrophal! Wie lang muß man hier eigentlich warten, bis man bestellen darf?»

«Still!» ruft der Direktor mit erstickter Stimme und hält dem Clown den Mund zu. Als er ihn wieder freigibt, fragt der Clown: «Wieso?»

Der Direktor lehnt sich zurück.

«Hör mal, ich habe die Verantwortung für dich übernommen. Ich stehe für dich ein. Aber es gibt einige unter uns, die der Überzeugung sind, nur du könntest der Verräter sein. Ich habe ihnen gesagt, daß ich dich für unfähig halte, eine solche Schweinerei zu begehen. Was sagst du dazu?»

Der Clown holt aus seiner Manteltasche die Peitsche des Direktors und legt sie vor ihn hin. «Da!» sagt er, «die hast du vergessen.»

Der Direktor rollt den Zigarrenstummel zwischen den Lippen hin und her. «Danke, mein Alter. Ich brauche sie nicht mehr.»

Wieder mustert er den Clown mit zusammengekniffenen Augen.

«Niemand hat gehört, was du zu den Schwarzuniformierten gesagt hast. Es gibt einige unter uns, die es wissen möchten. Was hast du gesagt?»

«Ich habe ihnen befohlen, den anderen zu sagen, daß sie die Gefangenen freilassen sollen.»

«Das hast du gesagt? Und was haben sie geantwortet?»

«Sie haben gehorcht, weil sie die Peitsche gesehen haben.»

Der Direktor zündet sich den Zigarrenstummel an und raucht zwei, drei Züge mit geschlossenen Augen. Dann gibt er sich einen Ruck, klopft dem Clown anerkennend aufs Knie und grinst. «Ich glaube dir. Ich kenne dich und glaube dir. Wir werden alles wieder einrenken. Laß mich das nur machen, mein Alter.»

Er beugt sich vor und schaut dem Clown eindringlich in die Augen. «Was meinst du, soll ich jetzt gleich meine Rede halten?»

Der Clown blickt über die Schlafenden und nickt.

Man sollte sie nicht wecken. Sie sind in einem

anderen Traum. Vielleicht sind sie es, die diese Welt träumen.

«Unbedingt», sagt er, «das ist der richtige Moment.»

Der Direktor erhebt sich und tritt ans Geländer. Dann scheinen ihm aber doch noch einmal Bedenken zu kommen, und er wendet sich zum Clown zurück.

«Ich werde doch vielleicht lieber erst den Wirt fragen. Er ist zwar einer der unseren, aber vielleicht ist es besser, wenn ich frage, ob er einverstanden ist. Schließlich ist es ja sein Lokal.»

«Das solltest du tun», meint der Clown.

Der Direktor macht sich daran, über das Geländer zu klettern. Er sitzt schon rittlings darauf, da hält er noch einmal inne und flüstert dem Clown zu: «Hör mal, du könntest schon mal ein paar einleitende Worte sagen. Du verstehst schon: Die Zuhörer ein bißchen anwärmen und so weiter. Ich komme dann gleich zurück und übernehme die Ansprache.»

Der Clown nickt kraftlos. «Du weißt doch, daß ich so was nicht kann. Ich bringe so leicht alles durcheinander.»

«Dann nimm dich eben zusammen!» zischt der Direktor wütend. «Verstehst du denn nicht? Ich gebe dir eine Chance. Vielleicht ist es deine letzte.»

«Worüber soll ich denn reden?»

«Worüber du willst.»

Der Direktor springt auf den Boden hinunter, hält sich mit beiden Händen an den Holzsprossen des Geländers fest und sagt zwischen ihnen hindurch zum Clown hinauf: «Wichtig ist, daß du die Leute in Stimmung bringst. Darum geht es.»

Es geht darum aufzuwachen. Das ist das einzige, worum es geht.

Der Clown blickt dem Direktor nach, wie der sich zwischen den Tischen hindurch den Weg zu einer Tür bahnt, die in der Seitenwand des langen Raumes ist. Dort dreht er sich noch einmal um und macht ein aufforderndes Zeichen mit der Hand. Als er die Tür öffnet, wird für einen Augenblick Stimmengewirr hörbar, auch Frauenstimmen sind darunter, sie klingen erregt, als sei ein Streit im Gange. Möglicherweise ist es der Eingang zur Küche.

Ich will nicht reden. Ich will überhaupt nie wieder reden müssen. Ich habe nichts mehr zu sagen.

Der Clown klettert rasch über das Geländer auf einen der langen Tische hinunter und läuft, vorsichtig darauf bedacht, keinen zu berühren, zwischen den Köpfen der Schläfer und den Biergläsern auf das Ende der Platte zu. Er will sich aus dem Staub machen.

Es hilft nichts zu fliehen. Es gibt keine Zuflucht.

Eben will er auf den Boden hinuntersteigen, da öffnet sich noch einmal die Küchentür, und der Direktor streckt den Kopf herein.

«Hast du schon angefangen?»

«Noch nicht», antwortet der Clown mutlos, «ich bin eben dabei.»

«Mach schnell!» sagt der Direktor, «ich verlasse mich auf dich.» Sein Kopf verschwindet.

Der Clown richtet sich auf. Er steht auf dem Tisch und dreht sich nach allen Seiten, dann verschränkt er die Arme auf dem Rücken wie ein Schulkind, das ein Gedicht aufsagen soll.

Hochverehrtes Publikum, meine lieben Träumer!

Die nächste Nummer, die nun folgt, ist einmalig auf der Welt und erfordert äußerste Konzentration. Darum bitten wir um völlige Stille und einen Trommelwirbel. Dies ist der Augenblick der Wahrheit, aber ich weiß, ehrlich gesagt nicht, was ein Augenblick ist, und ich weiß nichts von der Wahrheit, und wen ich mit «ich» meine, weiß ich am allerwenigsten.

Als ich in diesen Traum kam, den ihr die Welt nennt, war er schlimm, und er ist schlimm geblieben oder noch schlimmer geworden. Ich habe kein Gedächtnis. Ich kann euch keine Einzelheiten erzählen. Immer vergesse ich alles. Ich dachte mir, daß es der verkehrte Traum oder die verkehrte Welt ist, in die ich da geraten bin. Oder vielleicht war ich der Verkehrte für diese Welt, für diesen Traum. Man hat mich verprügelt und eingesperrt, man hat mich gelobt und mir viel Geld gegeben zuzeiten, obwohl ich immer derselbe war und das gleiche tat.

Darum habe ich mich darauf verlegt, euch lachen und weinen zu machen. Das war es, was ich konnte.

Der Clown fühlt sich ein wenig gestört, weil ihn ein fliegender Bierglasuntersetzer aus filzartiger Pappe getroffen hat. Offenbar hat ihn jemand mutwillig zur Zielscheibe eines Scherzes erwählt. Er wendet sich nach dem Spaßvogel um und erblickt auf jener Empore, wo er noch eben mit dem Direktor saß, einen großen, glatzköpfigen, athletisch gebauten Mann, der ihm einfältig zulacht und fortfährt, mit den runden Filzuntersetzern nach ihm zu werfen. Offenbar handelt es sich um den Schankburschen des Lokals, denn er trägt eine grüne Schürze. Der Clown, in der Annahme, daß der Muskelmann es nicht böse meint, gibt ihm durch eine Handbewegung zu verstehen, daß er jetzt an dem Spiel nicht teilnehmen könne, weil er mit Wichtigem beschäftigt sei. Dabei lächelt er gewinnend, um den dumpfen Menschen nicht zu reizen. Da der jedoch grinsend mit seiner Belästigung fortfährt, steigt der Clown auf einen anderen, weiter entfernt liegenden Tisch hinüber.

Ich warte und warte darauf, endlich aufzuwachen, aber ich kann nicht. Wie ein Schwimmer, der unter die Eisdecke geraten ist, suche ich nach einer Stelle zum Auftauchen. Aber da ist keine Stelle! Mein Leben lang schwimme ich mit angehaltenem Atem. Ich weiß nicht, wie ihr es schafft.

Der Clown muß sich bücken, um einigen neuerlichen, gutgezielten Bierglasuntersetzern zu entgehen. Da er aber doch wieder von einigen Wurfgeschoßen getroffen wird, nimmt er nun seinerseits eine der auf dem Tisch liegenden durchweichten Pappscheiben auf und wirft sie nach dem Schankburschen, immer lächelnd natürlich und in der Hoffnung, den einfältigen Kerl damit endlich zufriedenzustellen oder ihn dazu zu bewegen, dieses dumme Spiel zu beenden. Der Schankbursche hält auch tatsächlich überrascht inne. Der Clown schaut sich nach allen Seiten um, in der Hoffnung, der Direktor sei endlich zurückgekommen, um die Situation in die Hand zu nehmen. Aber der ist noch immer nirgends zu sehen.

Oder weiß unser Träumer am Ende überhaupt nicht, daß er uns alle nur träumt? Kann ich, sein Traum, es ihm begreiflich machen, damit er endlich aufwacht? Und erklärt mir eins, Damen und Herren: Was wird aus einem Traum, wenn der Träumer erwacht? Nichts? Ist er dann nichts mehr? Aber ich will hier raus – im Ernst! Ich will nicht mehr träumen, da zu sein. Ich will mich auch nicht mehr von wer weiß wem träumen lassen. Oder träumen wir alle uns gegenseitig? Ein Gewebe von Träumen, ein Traumdickicht ohne Grenzen, ohne Grund? Sind wir alle ein einziger Traum, den niemand träumt?

In diesem Augenblick fliegt ein Bierglas haarscharf am Kopf des Clowns vorüber und zersplittert krachend hinter ihm an der Wand. Der

Schankbursche kann es nicht geworfen haben, denn es ist aus ganz anderer Richtung gekommen. Doch hat der Clown auch nicht gesehen, daß einer der Schläfer sich geregt hätte. Während er noch, die Hand über den Augen, herumspäht, fliegt wiederum aus einer anderen Richtung eine Flasche auf ihn zu, der er nur knapp ausweichen kann. Weitere Flaschen, Biergläser, Aschenbecher aus Steingut und andere Gegenstände folgen kreuz und quer aus allen Richtungen, bis ein wahrer Hagel solcher Wurfgeschoße um ihn her losbricht. Schützend legt er die Arme um den Kopf und bückt sich, kann aber so, in seiner Sicht behindert, nicht mehr wendig genug ausweichen und wird einige Male an Rücken, Schultern und Armen sehr schmerzhaft getroffen.

Da die Wucht der Wurfgeschoße immer zunimmt, so daß sie bald mit dem schrillen Kreischen von Querschlägern die Luft durchschneiden, hält der Clown es für angeraten, vom Tisch herunterzuspringen. Auf allen vieren und immer auf Deckung bedacht, kriecht er zwischen den Beinen der reglos Schlafenden auf die Küchentür zu. Er erreicht sie schließlich, aber sie läßt sich nicht öffnen. Nicht so, als sei sie abgeschlossen, sondern so, als habe man von der anderen Seite schwere Möbel davorgeschoben. Er rüttelt an der Klinke, hämmert mit Fäusten gegen die Tür, was allerdings im Tumult der Wurfgeschoße kaum zu hören ist, und stemmt sich mit all seiner nicht mehr sehr großen Kraft dagegen. Es ist vergeblich. Er richtet sich auf und blickt in den Saal zurück. Nun ist auch der Schankbursche nicht mehr da, vielleicht hat auch er sich vor dem Bombardement in Sicherheit gebracht. Der Clown ist allein mit dem Heer der Schlafenden und ihrer Schlacht.

Wenn es aber so ist, daß ich nur euer gemeinsamer Traum bin, daß ihr alle zusammen mich von Anfang an geträumt habt, daß ich nie etwas anderes war als der Traum meines hochverehrten Publikums – dann bitte ich euch, meine lieben Träumer, ich bitte euch von ganzem Herzen: Entlaßt mich nun! Träumt hinfort von etwas anderem, aber nicht mehr von mir! Ich kann nicht mehr. Ich mute euch nicht zu aufzuwachen. Schlaft meinetwegen weiter, solange ihr wollt und schlaft gut, aber hört auf, mich zu träumen! Ihr habt euren Spaß an mir gehabt, bitte, laßt mich nun gehen!

Im gleichen Augenblick trifft ihn ein steinerner Bierkrug mit der Gewalt einer Granate an der Stirn und zerbirst. Das blasse alte Säuglingsgesicht des Clowns ist plötzlich rot von Blut und zeigt den Ausdruck tiefster Überraschung und völliger Einsicht. Er lächelt, als habe er endlich alles verstanden. Seine Arme vollführen jene zeremonielle Gebärde, mit der er stets für den Applaus der Zuschauer gedankt hat, dann stürzt er steif wie eine Wachsfigur vornüber auf den scherbenbedeckten Dielenboden.

Ein Winterabend, der Himmel ist zartrosa, kalt und weit, über einer grenzenlosen schneebedeckten Ebene. Inmitten dieser Ebene ragt ein Ruinenstück auf, der Rest einer dicken Mauer. Darin befindet sich eine Tür. Eine ganz gewöhnliche, geschlossene Haustür, apfelgrün gestrichen, ohne Namensschild, zu der drei ausgetretene Steinstufen emporführen. Der Schnee vor den Stufen ist glattgestampft, denn hier gehen zwei Wachsoldaten beständig auf und ab wie gegeneinander schwingende Pendel. Ihre Bewegungen ergeben eine Art Ballett aus zögerndem Schreiten, Verharren, raschem Stampfen, neuerlichem Verharren, plötzlichen Wendungen, eiligem Trippeln und wiederum zögerndem Schreiten: Ein kompliziertes Ritual. Die Uniformen der Männer sind schwarz und glänzend, auch die Helme und Stulpenhandschuhe. Beide halten Maschinenpistolen schußbereit unterm Arm. Wenn sie aneinander vorübergehen, tauschen sie die Waffen jedesmal mit einigen eckigen Bewegungen aus. Dabei wechseln sie mit halblauter Stimme ein paar Worte. Am Himmel kreisen Schwärme großer schwarzer Vögel, lautlos.

«Die Raben!» sagt der eine Wächter und deutet, nur mit dem Blick, nach oben. «Was suchen die hier eigentlich? Ob das was bedeutet?»

«Nicht stehenbleiben!» murmelt der andere. «Wenn uns jemand sieht . . . außerdem sind es Krähen.»

Und bei der nächsten Begegnung:

«Sie kommen nie herunter. Sie bleiben immer in der Luft. Tag und Nacht. Wie machen sie das? Und es sind Raben, sag' ich dir.»

Die beiden gehen auseinander, kehren um, treffen sich wieder, wechseln die Waffen.

«Krähen!» sagt der zweite Soldat durch zusammengebissene Zähne. Das Wort fliegt als kleine Wolke von seinem Mund. «Ich hab mal eine abgeschossen, bloß so. Die hatte Augen, kann ich dir sagen, wie Taschenlampen.»

«Was ist los?» fragt der erste, «hast du Angst?»

Bei der nächsten Begegnung fragt der zweite zurück: «Und du?»

Der erste zuckt nur die Achseln.

Ein paarmal gehen sie auf und ab ohne Wortwechsel.

«Wenn man bloß wüßte», fängt der erste Wächter wieder an, «wozu wir diesen Affentanz hier aufführen.»

Der zweite zieht den Inhalt seiner tropfenden Nase hoch. «Wir bewachen die Tür. Dumme Frage.»

«Warum? Damit niemand rauskommt?»

«Klar. Der Stierkopf. Weißt du doch selbst. Gefährlich.»

«Da drin? Wo denn? Hinter der Tür?»

Pause. Auseinandergehen. Stampfen. Umkehren.

«Ist da schon mal jemand rausgekommen aus der Tür?»

«Nie. Weil er jeden verschlingt.» Und mit schiefem Grinsen setzt der zweite Wächter hinzu: «Ein Ungeheuer.»

Während sie die Waffen tauschen, murmelt der erste: «Wer da reingeht, heißt es, kann nie wieder zurück. Die Tür führt immer woanders hin, nur nicht dorthin, woher einer gekommen ist.»

«Na siehst du«, sagt der zweite befriedigt, während sie auseinandergehen, «ich sag' doch, es kommt keiner raus.»

Sie kehren um, treffen sich wieder.

«Warum», fragte der erste dickköpfig, «bewachen wir dann die Tür?»

«Mensch ...» sagt der andere ungeduldig, «vielleicht damit keiner reingeht, was weiß ich.»

«Will denn da einer rein?»

«Freiwillig sicher nicht. Müßte ja lebensmüde sein.»

Auseinandergehen. Kehrtwendung. Waffentausch.

Der erste bohrt weiter. «Es will also niemand rein?»

«Ich tät's nicht für 'ne Million.»

«Und es ist auch noch nie einer rein?»

«Keine Ahnung. Früher vielleicht. Vor meiner Zeit. Ich erinnere mich nicht.»

«Wozu bewachen wir dann die Tür?»

Jetzt wird der andere laut. «Ich sag' dir doch: Damit niemand rauskommt. Ist doch scheißegal. Mach deinen Dienst und halt's Maul.»

Der erste Wächter nickt. «Schon gut.»

Und erst nachdem sie eine ganze Weile schon schweigend hin und her marschiert sind, fügt er entschuldigend hinzu: «Es ist wie ein hohler Zahn. Man geht immer wieder mit der Zunge dran, ob man will oder nicht.»

Die Schwärme der schwarzen Vögel am Himmel kreisen und kreisen ohne einen Laut. Schließlich hält es der erste Wächter nicht mehr aus.

«Raben», sagt er leise vor sich hin, «sind verkleidete Engel.»

Der andere bekommt einen Hustenanfall. «Blödsinn!» stößt er heiser hervor. «Es sind Krähen, gewöhnliche Krähen. Raben gibt's nur noch sehr selten.»

«Engel auch», meint der erste und schaut am anderen vorbei.

«Blödsinn!» wiederholt der zweite Soldat, aber diesmal hört sich seine Stimme kraftlos und weinerlich an. «Wenn's überhaupt welche gibt, dann gibt es sie wie Sand am Meer. Aber nicht hier, nicht bei uns.»

«Wo denn?»

«In anderen Zeiten.»

Beim nächsten Waffentausch fragt der erste Wächter: «Hast du schon einmal auf der anderen Seite nachgesehen?»

«Hinter der Tür? Nein, wozu?»

Eine lange Gesprächspause, während welcher beide ihren zeremoniellen Tanz vollführen. Schließlich meint der erste: «Verboten ist es nicht.»

«Erlaubt auch nicht», versetzt der andere. «Jedenfalls ist es gegen unsere Dienstvorschrift.»

«Da steht nichts davon, auf welcher Seite der Tür die Wachen marschieren müssen.»

Sie setzen ihren Marsch fort, einmal, zweimal, dreimal begegnen sie sich und schauen sich stumm in die Augen, dann plötzlich wie auf Verabredung wechseln beide gleichzeitig die Richtung, und jeder stapft von seiner Seite aus um den Mauerrest herum durch den Schnee, der hier hoch und unberührt liegt. Bei der Begegnung sagt der zweite Wächter erleichtert: «Ich hab's doch gesagt!»

«Es ist überhaupt nichts dahinter», antwortet der erste. «Sie sieht von hinten genauso aus wie von vorn.»

«Sie führt nirgends hin», bestätigt der zweite. «Jetzt weißt du's.»

Beide kehren auf ihre vorigen Plätze zurück und nehmen das Wachritual wieder auf. Aber schon beim nächsten Waffentausch beginnt der erste Soldat hartnäckig von neuem.

«Aber warum muß sie dann bewacht werden?»

«Verdammt noch mal, Mensch! Vielleicht ist es bloß eine alte Tradition aus grauer Vorzeit, als hier der Eingang zu irgendwas war.»

Der erste Wächter wirft der grünen Tür, die ihm eine ganz gewöhnliche Haustür zu sein scheint, einen zweifelnden Blick zu und murmelt einlenkend: «Du meinst, jetzt ist sie nur noch so da?»

«Einfach so», sagt der andere erschöpft, «von früher her.»

Der erste unterdrückt sichtlich für eine längere Weile jede weitere Frage, beide marschieren hin und her, stampfen, machen kehrt, trippeln und schreiten mit den vorgeschriebenen zögernden Schritten aufeinander zu. Der erste Wächter sieht die Angst und Wut im Auge seines Kameraden, und deshalb sagt er beim nächsten Waffentausch mit versöhnlichem Grinsen: «Wahrscheinlich hast du recht. Sicher. Das stammt alles aus anderen Zeiten. Wir auch.»

Aber der andere hat etwas aus den Augenwinkeln bemerkt.

«Still!» zischt er, «halt's Maul! Da kommt wer. Jetzt kriegen wir Scherereien.»

Der erste wagt nicht, den Kopf zu wenden. «Ob sie uns beobachtet haben?»

«Klar, wozu kommen sie sonst? Bis jetzt ist noch nie jemand gekommen.»

«Wer ist es denn?»

«Es sind zwei.»

«Kennst du sie?»

«Das ist ... die Tochter vom Alten!»

«Und wer noch?»

«Ein junger Kerl. Keine Ahnung. Mensch, halt bloß die Schnauze jetzt.»

Beide Wachen salutieren und stehen starr und bleich wie Wachspuppen.

Ein junges Mädchen im Pelzmantel kommt heran. Sie ist barhäuptig, ihr üppiges rotes Haar ist zu einem strengen Knoten im Genick geschlungen. Ihr blasses Gesicht ist schmal, schön und hart wie eine Gemme. In ihren Spuren stapft hinter ihr durch den Schnee ein junger, braunhäutiger Mann, der unter einem offenen Trenchcoat das eng anliegende, kostbar bestickte Kostüm eines Matadors trägt. In der Linken hält er den in die purpurne Capa gewickelten Degen. Das Mädchen ist vor dem Mauerrest stehengeblieben, ohne sich umzuwenden, und er holt sie nun ein.

«Das da?» fragt er ein wenig außer Atem und lächelt ungläubig, «ist das Ihr Ernst?»

«Ihr könnt gehen», sagt das Mädchen zu den beiden Wächtern, ohne sie anzusehen.

Die beiden Soldaten wissen nicht, ob sie gemeint sind, und wagen nicht, sich zu rühren. Aufs Geratewohl sagt der erste: «Wir haben strikte Vorschriften.»

Das Mädchen wendet sich ihm zu und mustert ihn. Man kann sehen, daß ihm die Zunge an den Zähnen festfriert.

«Kennt ihr mich?»

Der zweite Wächter salutiert noch einmal. «Zu Befehl, Hoheit!»

«Schön», sagt das Mädchen, «ihr könnt gehen.»

«Aber Ihr Herr Vater, der König, hat angeordnet, daß wir niemand . . .»

Das Mädchen unterbricht ihn. «Ich übernehme die Verantwortung. Übrigens weiß mein Vater Bescheid. Ich rufe euch, wenn ihr zurückkommen könnt.»

Die beiden Soldaten schauen sich an, zucken die Achseln und gehorchen dem Befehl. Außer Hörweite bleiben sie stehen und warten, sie wenden dem Paar den Rücken zu. Nur manchmal wagt einer von ihnen einen kurzen Blick über die Schulter.

«Also», sagt der junge Mann unternehmungslustig, «wenn man durch diese Tür geht, dann kommt man – wohin?»

«Das kommt darauf an», antwortet das Mädchen gleichgültig.

«Worauf?»

«Darauf, wer durch die Tür geht. Und von welcher Seite. Und wann. Und warum.»

Sie setzt sich auf die Stufen und zieht sich den Pelzmantel enger um den Leib. Er betrachtet sie lächelnd von der Seite, dann geht er neugierig um das Mauerstück herum.

«Die beiden», sagt er, als er zurückkommt, und zeigt mit dem Daumen über die Schulter nach den

Wachsoldaten hin, «wollten es offenbar auch schon genauer wissen.»

«Möglich», murmelt das Mädchen, «aber wer es genauer wissen will, muß durch die Tür gehen.»

Der junge Mann setzt sich neben sie. Er legt den Arm um ihre Schulter, aber sie schüttelt ihn mit einer kleinen, ungeduldigen Bewegung ab. Der junge Mann lacht leise.

«Sie machen sich lustig über mich, stimmt's?»

Das Mädchen wendet ihm ihr Gesicht zu, und er erschrickt, als hätte sein Tod ihn angeblickt. Sie schüttelt unmerklich den Kopf, dann blickt sie wieder geradeaus und fragt in die weiße Ebene hinein:

«Sie sind von Beruf Held?»

Der junge Matador nimmt sich zusammen und bringt noch einmal ein kleines Lachen zustande. «Nun ja, wie man's nimmt. Ich versuche bloß, mit meiner Angst fertig zu werden.»

«Angst?» fragt das Mädchen in einem Tonfall, als sei ihr das Wort völlig fremd.

«Vor dem Sterben», antwortet der junge Mann, «ich bin von Natur aus feige – wie die meisten Menschen. Ich fürchte mich vor dem Sterben. Darum übe ich mich darin.»

«Sind Sie schon einmal gestorben?» fragt das Mädchen. «Wie oft?»

Der junge Mann studiert ihr Profil, um herauszufinden, ob sie ihn verspottet, aber es gelingt ihm nicht. Er seufzt gottergeben und sagt mehr zu sich selbst: «Offengesagt, ich habe noch nicht so ernsthaft darüber nachgedacht.»

Das Mädchen nickt und sagt hart: «Ja, Sie können es schaffen.»

«Sie meinen, ich werde ihn besiegen?»

«Besiegen?» wiederholt sie erstaunt. «Niemand kann ihn besiegen. Es ist schon viel, wenn Sie ihn finden in diesem Labyrinth.»

«Und warum glauben Sie, Prinzessin, daß es mir gelingen wird?»

«Weil Sie ein Kind sind», sagt das Mädchen, und es liegt nichts Kränkendes in der Art, wie sie es sagt, «ein grausames, törichtes Kind vielleicht, aber eben doch ein Kind. Das übt eine unwiderstehliche Anziehungskraft auf ihn aus. Ich glaube, er wird sich von Ihnen finden lassen.»

«Und welche Kraft», fragt er, «übt es auf Sie aus?»

Sie blickt eine Weile wie lauschend vor sich hin, ehe sie antwortet: «Keine.»

Der junge Mann schweigt und schaut ebenfalls vor sich hin. Schließlich holt er tief Luft und nickt ernsthaft. «Sie halten mich für dumm, nicht wahr? Vielleicht haben Sie recht. Aber mir scheint, man muß auf irgendeine Art dumm sein, wenn man überhaupt irgend etwas tun will. Und mir, sehen Sie, Prinzessin, mir liegt es einfach mehr, etwas zu tun, als mich dafür zu rechtfertigen.»

Das Mädchen betrachtet ihn aufmerksam und nicht ohne Sympathie.

«Wie alt sind Sie eigentlich?» fragt sie.

«Einundzwanzig. Ich bin also mündig. Und Sie?»

«Dreitausend Jahre», sagt sie ohne zu lächeln. «Finden Sie mich schön?»

Ihm verschlägt es ein wenig die Rede, er schluckt. «Hören Sie, ich möchte Sie um etwas bitten. Wenn ich jetzt dort hineingehen werde – ich meine, immerhin, es könnte doch sein, daß ich . . .»

«O ja», sagt das Mädchen eisig, «das könnte sein. Bis jetzt ist noch niemand zurückgekehrt.»

Der junge Matador wirkt plötzlich verlegen, geradezu linkisch. «Verstehen Sie mich nicht falsch, Prinzessin, oder vielmehr . . . Die Sache ist die, ich habe nichts, was mich mit der Welt hier draußen verbindet, keine Familie, keine – Geliebte. Und ich denke mir, es könnte Situationen geben, wo das Gefühl, erwartet zu werden, einem Kraft gibt und Mut macht.»

Das Mädchen schüttelt den Kopf. «Mein armer Junge», sagt sie, «glauben Sie denn im Ernst, die Welt hier draußen gehöre nicht schon mit zum Labyrinth? Das Dasein dieser Tür macht, daß es kein Davor und kein Dahinter mehr gibt. Auch diese Welt hier ist nur einer der vielen Träume, die Sie geträumt haben und noch träumen werden.»

Der junge Matador blickt verwirrt drein und stammelt: «Und doch! Die meisten Helden, von denen ich gehört habe, trugen irgendein Andenken mit sich herum, ein Pfand der Zuneigung, der Liebe, einen Talisman . . .»

Das Mädchen macht keine Anstalten, ihm aus seiner Verlegenheit zu helfen. Sie schaut ihn groß und wie aus weiter Ferne an.

«Haben Sie sich schon einmal überlegt», fragt sie langsam, «daß es mein Halbbruder ist, den Sie schlachten wollen?»

Dem jungen Mann schießt das Blut ins Gesicht. «Nein, daran habe ich tatsächlich nicht gedacht. Niemand in Ihrer Umgebung spricht darüber, und so war ich der Meinung . . . Verzeihen Sie mir, meine Bitte war taktlos und roh.»

«Dachten Sie», fragt das Mädchen weiter, «es sei so einfach, ein Held zu sein? Dachten Sie, es genügt schon, nicht nachzudenken, um das Richtige zu tun und das Falsche zu unterlassen? Wenn es nur um das Töten ginge, dann wäre die Welt voller Helden.»

«Aber schließlich», meint der junge Mann hilflos, «schließlich ist er doch ein Stierkopf, ein Ungeheuer, eine Mißbildung der Natur, einer, der Menschenopfer fordert!»

«Woher wissen Sie das alles?» fragt das Mädchen sanft.

«Man erzählt es. Alle sagen es. Auch Ihr Vater. Sogar Ihre Mutter, die ihn doch geboren hat.»

«Ach ja, immer die alten Geschichten», antwortet sie müde. «mit denen man versucht, das

Gute vom Bösen zu unterscheiden. Aber in der Erinnerung der Welt ist alles eins und notwendig.»

Und nach einem kurzen Schweigen fügt sie hinzu: «Und wohin geht alle Erinnerung der Welt, wenn wir Menschen sie längst vergessen haben?»

«Aber die, die vor mir durch diese Tür gegangen sind», ruft der junge Mann verwirrt, «er hat sie doch verschlungen!»

«Wir erinnern uns an niemand, wie sollen wir wissen, was mit ihnen geschehen ist?»

Der junge Matador steht auf, er ist bleich unter seiner braunen Haut, seine Augen glänzen wie im Fieber. «Ich werde es schon herausfinden, was mit ihnen geschehen ist!»

Aber das Mädchen schüttelt wieder den Kopf. «Auch du wirst kein Held sein, armer Junge. Ein Held ist einer, von dem man erzählen kann, darum muß er in demselben Traum, in derselben Geschichte bleiben wie die, die von ihm erzählen. Aber unser Erinnern reicht nur bis zu dieser Schwelle hier. Wer sie überschreitet, hat unseren Traum verlassen.»

«Ich dagegen», sagt der junge Mann tapfer, «werde deinem Halbbruder von dir erzählen, wenn ich ihn finde. Ich werde dich nicht vergessen.»

Er steigt die drei ausgetretenen Stufen hinauf und legt die Hand auf die Klinke. Aber er zögert noch und wendet sich um.

«Wirklich», sagt er leise, «willst du mir gar nichts mitgeben?»

Zum ersten Mal lächelt das Mädchen, und zum ersten Mal erscheint sie gerade deshalb traurig. «Meinst du ein Fadenknäuel, an dem du dich zurücktasten könntest, nach vollbrachter Tat? Es würde dir nichts nützen, mein Freund, denn sobald sich diese Tür hinter dir schließt, weißt du nichts mehr von mir und ich nichts mehr von dir. Du wüßtest nicht einmal, was das unnütze Knäuel in der Hand bedeuten soll, und würdest es fortwerfen. Du wirst durch viele Verwandlungen gehen, aus einem Bild ins andere. Und jedesmal wirst du glauben zu erwachen und dich nicht mehr an deinen vorigen Traum erinnern. Du wirst vom Inneren ins Innere des Inneren stürzen und immer weiter bis ins innerste Innere, ohne dich zu erinnern, durch Leben und Tode, und immer wirst du ein anderer sein und immer derselbe, dort, wo es keine Unterschiede gibt. Den aber, den du töten willst, wirst du niemals erreichen, denn wenn du ihn gefunden hast, wirst du dich in ihn verwandelt haben. Du wirst er sein, der erste Buchstabe, das Schweigen, das allem vorausgeht. Dann wirst du wissen, was Einsamkeit ist.»

Sie hält inne, als habe sie zu viel gesagt, aber nach einer kleinen Weile fügt sie leise hinzu: «Nein, ich kann dir nichts mitgeben, nicht einmal diesen Kuß.»

Sie steigt zu ihm hinauf und küßt ihn. Er läßt es

mit hängenden Armen geschehen, und ihm ist, als sei er schon jetzt nichts mehr als ein längst vergessener Name.

«Und du?» fragt er, «wirst du wenigstens diesen Kuß, den niemand von dir bekommen hat, behalten?»

«Nein», sagt sie, «geh!»

Da dreht er sich rasch um, drückt auf die Klinke, die Tür öffnet sich leicht, und er geht hindurch. Das Mädchen bleibt reglos stehen, bis sie sich wieder geschlossen hat.

Der eine Wachsoldat stößt den anderen an. «Was macht sie da eigentlich? Die Tür ist auf und zu gegangen.»

«Keine Ahnung», sagt der andere.

Sie sehen, daß das Mädchen ihnen winkt, laufen zu ihr und präsentieren.

«Er tut mir leid», sagt das Mädchen leise.

Die Soldaten sehen sich ratlos an.

«Wer tut Ihnen leid, Hoheit?» fragt der erste.

«Niemand», antwortet sie, «ich dachte an meinen Bruder dort hinter der Tür, an meinen armen Bruder Hor.»

Und während sie sich abwendet und fortgeht, murmelt sie noch einmal: «Armer, armer Hor.»

Inhalt

Verzeichnis der Abbildungen

Edgar Ende
(1901–1965)